# La plus belle histoire de la Terre

*Collection dirigée par Dominique Simonnet*

## Dans la même collection

*La plus belle histoire du monde*
*(Les secrets de nos origines)*
Hubert Reeves, Joël de Rosnay, Yves Coppens
et Dominique Simonnet
Seuil, 1996

*La plus belle histoire de Dieu*
*(Qui est le Dieu de la Bible ?)*
Jean Bottéro, Marc-Alain Ouaknin, Joseph Moingt
Seuil, 1997

*La plus belle histoire de l'homme*
*(Comment la Terre devint humaine)*
André Langaney, Jean Clottes, Jean Guilaine
et Dominique Simonnet
Seuil, 1998

*La plus belle histoire des plantes*
*(Les racines de notre vie)*
Jean-Marie Pelt, Marcel Mazoyer, Théodore Monod
et Jacques Girardon
Seuil, 1999

*La plus belle histoire des animaux*
Pascal Picq, Jean-Pierre Digard,
Boris Cyrulnik et Karine Lou Matignon
Seuil, 2000

*André Brahic*
*Paul Tapponnier*
*Lester Brown*
*Jacques Girardon*

# La plus belle histoire de la Terre

*Éditions du Seuil*
*27, rue Jacob, Paris VI^e^*

ISBN 2-02-051308-0



www.seuil.com

# Sommaire

TROISIÈME ACTE

## *La Terre des hommes*

# Avant-propos

Tant de milliards d'années, d'espaces vertigineux, de coïncidences, d'essais et d'erreurs avant d'arriver à nous, qui levons le nez de temps à autre pour contempler un ciel provisoire que nous croyons immuable ! Que de violence, d'astres explosés, d'énergies phénoménales dépensées pour un enfant qui court dans l'herbe en riant...

Sur un petit débris cosmique, satellisé par une étoile qui ne paie pas de mine, dans la grande banlieue d'une galaxie ordinaire, est apparue la vie, aussi rare que fragile. Et elle a transformé la Terre en monde miraculeux.

Unique, notre planète ? Pour nous, oui. Et elle le restera longtemps encore : des milliers, des millions de siècles. Toujours peut-être ? Car dans le système solaire, nous sommes seuls. Cela, les scientifiques en sont désormais certains. Ailleurs, il existe d'autres planètes, autour d'autres étoiles, mais si éloignées que toute communication avec elles est inconcevable. En voyageant à la vitesse de la lumière – 300 000 kilomètres/seconde – un message mettrait plusieurs millions d'années pour atteindre de lointaines étoiles et d'éventuels êtres intelligents. Lorsque la réponse reviendrait, après un voyage identique, la Terre ne serait plus là. Le mot *planète* a pour origine le grec ancien, et signifie *vagabonde*. La vraie raison de son absence viendrait simplement du mouvement perpétuel de l'Univers. Tout tourne autour de tout. Tout s'éloigne de tout. De plus, les masses de matière satellisées que nous avons jusqu'ici détectées sont bien incapables d'abriter la vie : il leur manque la situation exceptionnelle et les qualités extraordinaires propres à notre belle bleue.

Dans le premier acte, qui verra naître la Terre, les rôles clefs seront tenus bien sûr par le Soleil et la Lune. Mais Mars et Vénus feront des apparitions importantes. Entreront aussi en scène Jupiter, Saturne, la Voie Lactée et quelques autres galaxies.

Le narrateur sera un astrophysicien : **André Brahic**. C'est lui qui découvrit les anneaux de Neptune, en 1984, et aussi de nouveaux satellites autour de Saturne. Professeur à l'université Paris VII, il dirige le groupe de recherche Gamma-Gravitation au CEA, à Saclay. Il a participé à l'aventure *Voyager* avec la Nasa et est membre de l'équipe d'imagerie de la sonde *Cassini-Huygens* actuellement en route pour Saturne. Résultat : il passe sa vie entre la France, les États-Unis, et le ciel. La liste de ses collaborations, responsabilités et distinctions diverses ne tiendrait pas sur une page entière, mais c'est du prix Carl Sagan, décerné pour la première fois à un non-Américain, dont il est le plus content : il dit qu'une science qui n'est pas rendue accessible au public n'est qu'un instrument de pouvoir. Sans cesse sollicité, toujours débordé, il vit aussi vite qu'il parle, sautant d'une idée à l'autre à un rythme étourdissant. D'une conversation avec André Brahic, on ressort la tête pleine de rêves et de questions et l'on commence à regarder le monde autrement. On aimerait en savoir plus, mais il a déjà disparu, courant après le temps comme le lapin d'Alice. Il dit en riant, pour s'excuser d'être toujours en retard, que lorsque l'on est plongé en permanence dans les milliards d'années, il est difficile de prêter à quelques dizaines de minutes l'attention qu'elles méritent.

Faite de poussières d'étoiles, la planète Terre est donc née. On pourrait croire que tout est dit. Qu'elle va dorénavant continuer à tourner autour du Soleil comme une horloge, et sur elle-même comme une toupie folle. Torride comme Vénus ou glaciale comme Mars, pour l'éternité... Il n'en est rien, bien sûr : l'aventure ne fait que commencer. Son cœur, brûlant, fait d'elle une machine thermique dont les roches en fusion remontent vers la surface, puis, en se refroidissant, s'alourdissent et replongent dans la fournaise. Contrairement à la plupart de ses sœurs, notre planète est active, vivante, en perpétuelle évolution.

Au deuxième acte, donc, la Terre, secouée par les séismes, ensemencée par les volcans, ouvrira des océans, avant de les refermer. Elle fabriquera des continents qui dériveront, s'entrechoqueront en élevant des montagnes. Surtout, elle va prendre peu à peu le visage que nous lui connaissons grâce à la plus rare des denrées, un trésor inestimable, magique, berceau de toute vie : l'eau liquide, qu'elle possède en abondance.

**Paul Tapponnier** nous contera ces événements grandioses et souvent effrayants qui ont modelé notre monde. Il nous dira comment la vie, apparue dans l'océan primitif, a apprivoisé la Terre. Comment elle l'a adaptée à elle-même, presque domestiquée. Presque... Car de temps à autre un cataclysme, convulsion volcanique ou choc d'une météorite, anéantit d'un coup des milliers d'espèces.

Géologue, directeur du département tectonique à l'Institut de physique du globe de Paris, Paul Tapponnier est le grand spécialiste mondial de la collision des continents. Né à Annecy, en Haute-Savoie, il assure que c'est la beauté des montagnes de son enfance qui lui a donné l'amour de cette planète qu'il parcourt en tous sens. On le croit en Chine où il étudie l'Himalaya, déjà il est reparti pour le Liban à la découverte d'une faille qui permet de lire comme dans un livre l'histoire des séismes dans la région depuis des millions d'années. Quelques jours à Paris, et le voilà en route pour les Antilles et leurs volcans. Il s'enthousiasme, s'émerveille, il lui manque des superlatifs pour parler de notre planète fabuleuse. Si la vie a marqué la Terre de son empreinte, les événements géologiques ont en retour été déterminants dans l'histoire de l'humanité qui n'en a pas toujours pris conscience.

Car, voici les hommes qui entrent en scène. Ils ne se sont pas redressés depuis longtemps sur leurs pattes de derrière, et déjà ils ont bouleversé le globe comme aucune espèce ne l'avait fait auparavant. L'impuissance à appréhender une durée autre que celle de leur existence éphémère les aveugle. **Lester R. Brown**, coryphée de ce troisième acte, raconte une histoire qui exprime bien ce télescopage entre échelles de temps trop différentes : un visiteur du musée d'Histoire naturelle de Boston est en contemplation devant le squelette d'un immense dinosaure. Comme il interroge un gardien sur l'âge de l'animal, ce dernier répond avec assurance : « 70 millions et 8 années ». Le visiteur, incrédule, demande comment une telle précision est possible. « C'est très simple, répond le gardien, ce dinosaure avait 70 millions d'années lorsque j'ai commencé à travailler ici, il y a 8 ans. »

Lester R. Brown, agronome, ancien analyste au ministère de l'Agriculture des États-Unis, a fondé en 1974 le Worldwatch Institute, qui publie chaque année un rapport sur *L'état du monde*, une sorte de check-up de la planète, traduit dans une trentaine de langues. Lester R. Brown se veut écologiste, mais au sens scientifique du terme. Il se méfie des dogmatismes de tous bords. Il dit que rien n'est mauvais pour la planète. Et que rien non plus n'est bon pour elle. Lorsque nous parlons d'environnement, c'est de nous-mêmes qu'il s'agit, de notre vie, de l'avenir de notre espèce. L'érosion emporte les sols et menace l'agriculture dans de nombreuses parties du monde. Le réchauffement de l'atmosphère peut se traduire par des catastrophes dans les zones les plus fragiles. Mais, surtout, l'eau va manquer. Cela est déjà inéluctable. Le pompage des nappes souterraines est bien plus rapide que leur rythme de renouvellement. L'eau, source de toute vie, polluée ou évaporée, risque à très court terme de devenir une denrée plus précieuse que l'or, une source de conflits et de grands mouvements d'exode.

Il est encore temps de réagir, assure Lester R. Brown. Nous pouvons limiter les dégâts ou trouver une harmonie. Nous en avons les moyens, sans pour cela régresser vers un mode de vie primitif ou pseudo-naturel. Les choix à faire sont politiques, et surtout économiques.

Nous n'avons qu'un vaisseau perdu dans l'immensité de l'Univers. Sans chaloupe de secours. Sans ailleurs possible. Notre paradis est magnifique mais fragile. À nous d'en prendre le plus grand soin si nous voulons que ce troisième acte ne soit pas le dernier.

**Jacques Girardon**

ACTE 1

# *Naissance d'une vagabonde*

SCÈNE 1

# La fille du temps

Au bout de 10 milliards d'années, un nuage s'est effondré et une étoile est née, entourée d'un disque de particules qui, à force de se caramboler, se sont agglutinées en neuf planètes. Dont une…

## *Tout est relatif!*

– **Jacques Girardon** : *À quoi ressemblait notre petit coin d'Univers avant que ne débute cette histoire ?*

– **André Brahic** : À rien. Il n'existait pas.

– *Ça commence bien !*

– La notion d'espace est un outil commode pour décrire ce qui se passe au voisinage d'un astre. Mais, initialement, le matériau qui s'est rassemblé pour former le système solaire était dispersé. Il n'y avait donc pas un espace qui lui correspondait. Parler de coin d'Univers sous-entend qu'il existerait un espace absolu et un temps absolu. Or cela n'a pas de sens. Certes, nous croyons tous savoir ce que sont l'espace et le temps… à condition de ne pas essayer de les définir ! Dès que nous nous posons vraiment la question, les difficultés commencent.

*– Comment allez-vous nous faire comprendre que le temps n'existe pas, alors que nous vivons l'œil rivé à nos montres et à nos réveils ?*

– On ne sait définir le temps que localement. Sur Terre, on peut, par exemple, se donner rendez-vous sans difficulté, parce qu'il est aisé de synchroniser les horloges. Dans l'Univers, c'est totalement impossible, à cause du temps mis par l'information pour parcourir des distances astronomiques. Si j'essayais de synchroniser ma montre avec celle d'un extraterrestre vivant à quelques millions d'années-lumière, le temps que l'information lui arrive, il se serait écoulé, pour moi, quelques millions d'années.

*– Est-ce que le temps pourrait être élastique ?*

– C'est un peu difficile à concevoir pour nos petits cerveaux bricolés par l'évolution, mais la physique nous apprend que temps et espace sont liés, ainsi que temps et vitesse. C'est la fameuse histoire du voyageur de Langevin. Admettons que des jumeaux soient âgés de 25 ans lorsque l'un d'eux part faire un grand voyage dans l'espace, à très grande vitesse, alors que l'autre reste sur Terre. Après deux ans de voyage, le spationaute revient. Il a 27 ans. Or, son frère en a 75. Pendant que le temps de l'un n'était que de deux ans, celui de l'autre avait duré cinquante ans ! Ce cas, exposé par le physicien français Paul Langevin, est une application directe de la relativité générale qui nous apprend qu'espace et temps ne sont que deux facteurs d'un même univers : l'espace-temps.

*– Pourra-t-on un jour faire l'expérience qui permettrait de vérifier cette hypothèse ?*

– On l'a déjà faite, à la modeste échelle de la Terre. Deux avions, emportant chacun une horloge atomique extrêmement précise, ont fait le tour du globe dans deux directions opposées. L'un est parti vers l'est, l'autre vers l'ouest. À l'arrivée, les deux horloges avaient un décalage d'une petite fraction de seconde correspondant parfaitement à la théorie. Les deux horloges ont donc bien mesuré un temps différent. Mais qu'en est-il du temps biologique ? Nous l'ignorons totalement.

*– Il n'empêche : qu'elle voyage ou non autour du Soleil, la Terre a bien 4 milliards et demi d'années !*

– Oui. Mais avant d'en venir aux références rassurantes de notre monde local, mesurable, de cet espace terrestre que nous arpentons et de ce temps biologique dont nous éprouvons la durée, il va falloir regarder autour de nous et découvrir où étaient disponibles les ingrédients nécessaires à la fabrication de la planète. Depuis quelques dizaines d'années, notre connaissance de l'Univers a été totalement bouleversée. 80 % de ce dont nous allons parler ici était inconnu il y a quarante ans. Il y a seulement dix ans, 20 % de l'histoire nous manquait. Restons donc modestes : qui sait si, dans cinquante ans, un livre paraissant sur le sujet ne rajouterait pas une majorité de faits aujourd'hui inconnus ?

### *Le ciel déboussolé*

*– Bon. Le temps est relatif, d'accord. Mais l'espace ? Il est bien concret, lui. Il nous permet même d'avoir les pieds sur Terre !*

– En réalité, comme je vous l'ai dit, il n'existe pas. Nous appelons « espace » l'ensemble des points de repère dont nous avons besoin : le haut, le bas, la gauche, la droite, le sol, les arbres, les montagnes… Ces notions très utiles nous permettent de survivre sur notre petite planète. Mais, loin de chez nous, elles n'ont plus cours. Qu'est-ce que le haut et le bas à bord de la navette spatiale ? Qu'est-ce que la gauche et la droite dans l'espace ?

*– Quand les astronomes regardent le ciel, ils sont pourtant capables de situer l'étoile polaire à un endroit précis.*

– Bien entendu. Ils peuvent mesurer avec une grande précision la distance de l'étoile et sa direction. La durée de notre vie est infiniment brève par rapport à celle de l'Univers dont l'expansion a commencé il y a environ 15 milliards d'années. L'espèce humaine ne vient d'apparaître qu'il y a 2 petits millions d'années environ. Si Archimède et Aristote revenaient aujourd'hui, ils reconnaîtraient sans peine les constellations, de la Grande Ourse à Cassiopée, en passant par toutes les autres… Ils ne seraient pas dépaysés. Même sur une durée de 10 000 ans, les modifications ont été faibles. En revanche, en 10 millions d'années, le ciel a complètement changé. Et *a fortiori* en 4 milliards et demi d'années ! Vous comprendrez que définir un point qui n'existait pas dans un espace qui n'existait pas non plus soulève quelques difficultés.

*– Alors, comment l'histoire commence-t-elle ?*

– Par une très longue gestation. Il a d'abord fallu fabriquer les atomes qui composent la Terre pour qu'elle puisse naître. Cela a nécessité une dizaine de milliards d'années. Nous sommes les enfants du temps !

*– Cela signifie-t-il que l'on ne peut pas trouver de planètes plus vieilles que la nôtre ?*

– Pas du tout. Mais si la naissance a lieu trop tôt, le bébé souffre de nombreuses carences. Une « Terre » formée au tout début de l'histoire de l'Univers serait beaucoup moins riche en atomes lourds.

*– Qu'entendez-vous par « le tout début » ?*

– Si l'on remonte le plus loin possible dans le temps, on arrive à ce que nous avons coutume d'appeler le « Big Bang ». Ce « Grand Boum » n'est peut-être pas le début de toute l'histoire, mais seulement un horizon au-delà duquel nous ne voyons plus rien pour l'instant. Nous n'avons aujourd'hui aucune information sur ce qui aurait pu se passer « avant ».

## *Le Big Bang et les pigeons*

*– Faute de dépasser cet horizon, peut-on voir le « Big Bang » lui-même ?*

– Presque. Ou, plus exactement, on en voit des traces. Il s'agissait d'un état étonnant, où la densité était tellement colossale que la matière elle-même ne pouvait pas exister. Il n'y avait que du rayonnement.

*– Qu'est-ce que le rayonnement ?*

– C'est le messager de l'information qui se manifeste de deux manières complémentaires par une onde et un grain de lumière : le photon.

*– Et comment sait-on qu'il y a à peu près 15 milliards d'années la densité de ce rayonnement était si élevée ?*

– Puisque tous les objets s'éloignent les uns des autres dans toutes les directions, on peut aisément en conclure que, dans le passé, ils étaient si proches que la densité et la température atteignaient des valeurs inaccessibles à nos laboratoires terrestres.

– *Il ne s'agit que d'une supposition ?*

– Pas seulement. Puisque nous observons que l'Univers est en expansion, la densité et la température du rayonnement diminuent. À la fin des années 1940, George Gamow et quelques collègues ont imaginé que, dans ces conditions, il devrait rester un rayonnement fossile, résidu de ce rayonnement primitif intense des premiers instants. Or, c'est bien ce qui a été observé : une lumière pâle, en quelque sorte froide.

– *C'est donc cela le rayonnement fossile ?*

– Oui. Des photons, nés lors du « Big Bang ».

– *Comment peut-on détecter cette lumière ?*

– Un jour, Penzias et Wilson, deux ingénieurs radioélectriciens de la Bell Telephone Company, ont mis au point une nouvelle antenne en forme de cornet, extrêmement performante, dont ils étaient très fiers. Ils ont rapidement constaté qu'elle était perturbée par des parasites. Ils ont essayé de trouver le coupable : une station de radio voisine ? Une base militaire proche ? Ce n'était ni l'une ni l'autre. Ils découvrirent alors que des pigeons avaient niché au fond de l'antenne. Ils nettoyèrent soigneusement la fiente de ces volatiles. Ils n'étaient pas coupables non plus. Ils publièrent alors un court article sur l'antiparasitage des antennes dans une revue d'électricité dans lequel ils évoquèrent le rayonnement fossile. Cela leur valut le prix Nobel : ils venaient effectivement de le capter. Conclusion : faire soigneusement le ménage après le passage des pigeons peut mener loin.

## *Matière contre lumière*

– *Donc, on en est sûr : au commencement était la lumière.*

– Oui, et elle était tellement condensée et chaude qu'elle annihilait toute matière.

– *Comment la lumière peut-elle annihiler la matière ?*

– Évidemment, il n'y a aucun risque de blesser quiconque avec une lampe torche. Mais tous ceux qui ont vécu les désagréments d'un coup de soleil peuvent comprendre que la lumière et la matière interagissent. Là, il s'agissait de lumière extraordinairement concentrée. Pour vous faire une petite idée, pensez au laser… Donc, cette lumière, en occupant de plus en plus d'espace, a perdu de l'énergie, et sa température a baissé. Alors seulement, progressivement, la matière a pu naître. Au bout d'un million d'années, la température est tombée sous le seuil fatidique des 3 000 degrés. La matière a alors pris en main le destin de l'Univers ! Des quarks se sont agglutinés pour former un proton, puis un électron qui tournait autour, et cela a donné un noyau d'hydrogène. Quatre protons et quatre électrons ont fait un noyau d'hélium… Les éléments les plus simples, l'hydrogène et l'hélium, ont été formés en premier avec un peu de lithium, de beryllium et de bore. Les pièces du grand Lego de l'Univers ont commencé à s'assembler…

– *Tout s'est passé très vite !*

– Oui. Mais, en fait, 10 millions d'années plus tard, on en était toujours à l'hydrogène et à l'hélium. Pas de quoi construire une planète Terre ! Si l'évolution s'était arrêtée là, aucun des éléments essentiels à la formation des planètes et de la vie ne serait apparu. Pour fabriquer des atomes plus lourds, il fallait absolument un autre processus. Les étoiles, ou plutôt les plus massives d'entre elles, furent ces « alchimistes » de talent.

– *Comment ont-elles fait ?*

– Les étoiles sont des boules de gaz résultant de l'effondrement d'immenses nuages interstellaires sous l'effet des forces de gravitation – de la pesanteur, si vous voulez. Au cours de la contraction, la température, la pression et la densité augmentent de plus en plus. Si l'on atteint le moment où les protons fusionnent pour former de nouveaux noyaux, les réactions thermonucléaires s'allument. La boule de gaz est devenue une étoile au cœur de laquelle la température peut dépasser 10 millions de degrés. Elle brûle son hydrogène, puis utilise comme carburant les « cendres » de cette combustion, fabriquant ainsi des atomes de plus en plus lourds, comme l'hélium et le carbone.

– *Elles transmutent le plomb en or ?*

– Malheureusement, ce serait plutôt le contraire, puisque le plomb, plus lourd, vient après l'or. Mais, en fait, toutes les étoiles ne sont pas aussi créatives : cela dépend de leur masse. Et même les plus efficaces ne peuvent aller au-delà de la fabrication du fer. Il faudrait apporter de l'énergie pour fabriquer des éléments encore plus lourds. Cela signifie que, lorsque l'étoile a fabriqué tout son fer, elle n'a plus la force de passer à la réaction suivante. Il n'y a plus de feu nucléaire au centre !

## *Notre étoile égoïste*

– *Et notre Soleil ? Est-il actuellement en train de fabriquer des matériaux pour une nouvelle planète ?*

– Il y a en fait deux types d'étoiles : les égoïstes et les généreuses. Les premières, comme le Soleil, arrêtent la fabrication après le carbone. Elles ont une masse inférieure à une fois et demie celle du Soleil ; elles dépensent peu, vivent chichement et longtemps – des milliards d'années. Le produit de leur fabrication reste en leur sein quand elles finissent leur vie sous forme d'un petit résidu d'étoile en train de se refroidir. Les secondes mènent grand train, sont très brillantes, et dépensent beaucoup d'énergie. Elles fabriquent successivement du carbone, de l'azote, de l'oxygène, de l'aluminium, du silicium, du soufre, du chlore... et ceci jusqu'au fer. Mais cela ne dure pas longtemps, elles ne vivent que quelques dizaines de millions d'années, avant d'exploser en nous offrant un magnifique feu d'artifice, au lieu de ronronner comme de braves chaudières.

– *Comment cela ?*

– En fait, il se passe la même chose que lors de l'implosion d'un téléviseur. À l'effondrement succède un rebond, une explosion. Un phénomène semblable se produit pour l'étoile. C'est ce que l'on appelle une supernova. Les éléments fabriqués sont projetés à des vitesses supersoniques dans le cosmos. Il ne restera, comme résidu de cette vie bien remplie, que la partie centrale très dense sous forme d'un trou noir ou d'une étoile à neutrons.

– *L'explosion est-elle si spectaculaire ?*

– Plus que cela ! Pendant quelques jours, une supernova est aussi brillante que les mille milliards d'étoiles qui peuplent une galaxie. Pendant les siècles qui suivent, une gigantesque onde de choc balaie l'espace et de fantastiques bouffées de particules de haute énergie sont projetées. Heureusement qu'aucune supernova ne s'est manifestée récemment dans notre voisinage et que nos voisines les plus proches sont pour l'instant des étoiles beaucoup trop chétives pour exploser !

## *L'explosion créatrice*

– *Si la fabrication du fer constitue une limite, d'où viennent les éléments plus lourds, comme l'or, le platine, le plomb ou encore l'uranium, que l'on trouve sur notre planète ?*

– Tout se passe au moment de l'explosion. Les flux de neutrons émis à cette occasion permettent de fabriquer les atomes qui manquent. Non seulement les supernovae permettent d'ensemencer et d'enrichir toute la galaxie, mais elles complètent la fabrication. Ces phénomènes étant relativement brefs, on comprend pourquoi les atomes les plus lourds sont souvent rares et chers.

– *La fabrication de tous ces atomes lourds par les étoiles s'est faite rapidement ?*

– Il a fallu plusieurs générations d'étoiles pour cuisiner les ingrédients de notre planète. Au moment de la naissance du système solaire, il y a 4 milliards et demi d'années, les atomes plus lourds que l'hydrogène et l'hélium ne constituaient que 1 % du matériau disponible.

– *Pourrait-il exister des étoiles encore plus massives qui seraient encore plus efficaces ?*

– Non. Une boule trop grosse est instable, elle se casse très vite en morceaux. Le domaine d'existence d'une étoile est bien délimité. Si vous n'avez pas assez de masse au départ, l'astre ne devient jamais une étoile. À moins d'un dixième de la masse du Soleil, les réactions thermonucléaires ne s'allument jamais au centre. Au contraire, un objet de cent fois la masse du Soleil est instable. Dans cette fourchette, nous pouvons nous installer autour des plus maigres, comme le Soleil, pour y mener une vie relativement douce et paisible, tandis que nous avons vu que les plus massives fournissent tous les ingrédients de la vie future après une vie flamboyante.

– *Est-ce que le Soleil et ses planètes sont nés en même temps ?*

– À peu près.

– *Et qu'est-ce qui fait que l'on obtient une étoile ou une planète ?*

– La masse. Très peu de matière donne un grain de poussière ; un peu plus, un caillou ; encore plus, un rocher ; puis, un astéroïde ; puis, la Terre ; Jupiter ; une naine brune ; le Soleil ; un amas d'étoiles ; une galaxie ; un amas de galaxies... Quand, au cours des mouvements des atomes dans l'Univers, un « globule » de matière se retrouve isolé de son milieu ambiant, c'est sa masse qui va déterminer son avenir.

## *Et le Soleil fut...*

*– Dans notre histoire, la masse initiale, le globule, c'est quoi ?*

– Un cocon de gaz et de poussières. Depuis une vingtaine d'années, les astronomes peuvent réaliser un vieux rêve : assister à la naissance des étoiles, ou presque. En particulier, les développements de l'astronomie infrarouge nous permettent d'observer l'intérieur, opaque à la lumière visible, des globules de gaz et de poussières qui vont donner naissance à une étoile. Nous observons en ce moment des maternités d'étoiles en pleine activité.

*– De quoi est composée cette poussière spatiale ?*

– De grains qui mesurent un dixième de micron, parfois un micron. Il y a beaucoup d'atomes de carbone qui se lient facilement à de l'hydrogène, à de l'oxygène... Vous savez, il y a beaucoup de molécules dans l'espace, même des molécules qui sont instables sur Terre, comme le radical OH formé d'un atome d'oxygène et d'un atome d'hydrogène. On trouve aussi bien de l'eau que de l'alcool éthylique !

*– D'où viennent ces atomes errants ?*

– Ils ont été éjectés par l'explosion d'étoiles. De temps à autre, localement, ils se lient les uns aux autres. Cela donne alors un peu de carbone par-ci, un peu d'oxygène par-là, un peu d'azote... Des molécules, qui se rassemblent parfois pour former des poussières.

*– Un globule d'hydrogène et de poussières d'étoiles s'est donc retrouvé isolé, et il est devenu le Soleil.*

– Il est devenu le système solaire tout entier !

– *Quelle différence ?*

– C'est important : nous sommes nés en même temps que le Soleil, mais nous ne venons pas du Soleil. La Terre n'est pas un morceau arraché au Soleil qui se serait refroidi, comme certains l'ont cru pendant deux siècles.

– *Comment pouvons-nous en être sûrs ?*

– À cause du deutérium, un isotope de l'hydrogène. C'est-à-dire une forme d'hydrogène dont le noyau de l'atome comporte non seulement un proton, mais aussi un neutron. Au début de l'Univers, une petite partie de l'hydrogène a été fabriquée sous forme de deutérium. Mais celui-ci résiste mal aux très fortes chaleurs. On trouve donc du deutérium dans le milieu interstellaire froid, dans la proportion d'environ 1 atome de deutérium pour 100 000 atomes d'hydrogène. En revanche, dans le milieu brûlant que constitue le Soleil, on trouve moins d'un atome de deutérium pour 5 millions d'atomes d'hydrogène. Si vous ne me croyez pas, prenez un peu d'eau du robinet, séparez l'oxygène de l'hydrogène (ça vous demandera un peu d'énergie !) et comptez les atomes. Vous trouverez 1 atome de deutérium pour 100 000 d'hydrogène. Conclusion : la Terre est bien issue d'un milieu froid.

– *La Terre s'est-elle formée ou non dans la même nébuleuse que le Soleil ?*

– Les deux viennent du même cocon. Mais les planètes sont issues de la périphérie du globule, qui est la partie la moins chaude.

– *Pourquoi y avait-il une périphérie plus froide ?*

– Tout simplement parce que l'effondrement des parties centrales qui va donner naissance au Soleil s'accompagne d'un énorme dégagement d'énergie. Dans notre cas, plus une planète est proche du feu central, plus elle reçoit d'énergie.

## *La valse à mille temps*

– *Pourquoi un Soleil et neuf planètes, plutôt qu'une seule étoile ?*

– C'est une question que les astronomes se posent depuis longtemps. Le système solaire est-il un « monstre » avec un Soleil entouré de planètes ou bien la formation des planètes est-elle un sous-produit banal de la formation d'une étoile ? On ne peut pas encore répondre de façon définitive à cette question, mais il semble bien que la présence de planètes autour d'une étoile soit fréquente. La nébuleuse primitive, en tournant sur elle-même, engendrait une force centrifuge…

– *Pourquoi tournait-elle sur elle-même, cette nébuleuse ?*

– C'est une conséquence directe des lois de la gravitation de Newton ! Dès l'instant où les corps s'attirent, il y a trois possibilités : une expansion liée à l'impulsion de départ, c'est le cas de l'Univers dans son ensemble ; un effondrement, nous venons d'en parler ; ou une rotation, qui est une façon de se stabiliser. Tous les objets de l'Univers tournent. Les planètes tournent sur elles-mêmes et autour des étoiles ; les étoiles tournent sur elles-mêmes ; les ensembles d'étoiles tournent autour du centre des galaxies ; les galaxies tournent autour d'autres galaxies ; notre amas de galaxies tourne autour d'autre chose encore... Dans l'Univers, tout tourne.

– *Dans le même sens ?*

– Pas forcément. Cela dépend des conditions initiales. Quand, à un instant donné, de la matière se rassemble quelque part, les corps ont une position et une vitesse qui vont déterminer le sens de la rotation. Dans le système solaire, toutes les planètes tournent dans le même sens que le Soleil sur lui-même, ce qui est bien naturel si tous ces corps sont issus de la rotation de la même nébuleuse.

– *On les a appelées planètes parce qu'elles sont situées dans le même plan ?*

– Pas du tout. Le terme *planète* vient du grec, il signifie *vagabond.* Les Anciens avaient remarqué que ces astres erraient dans le ciel par rapport aux étoiles. Il a fallu près de 2 000 ans pour comprendre leur mouvement autour du Soleil et pour se rendre compte que la Terre était elle-même une planète et n'était pas au centre du monde.

– *Donc, la nébuleuse tournait tout en s'effondrant sur elle-même.*

– Oui. Au centre, un proto-Soleil commença à briller. Mais les phénomènes de viscosité, les collisions entre les composants de la nébuleuse et la force centrifuge freinaient la contraction du reste de la nébuleuse et conduisaient à la formation d'un disque de gaz et de poussières.

– *Pourquoi un disque ?*

– C'est le résultat des collisions et des pertes d'énergie qu'elles entraînent. Les plus violentes se trouvent dans la direction de l'axe de rotation et aplatissent peu à peu le système. L'expérience peut être faite aisément grâce à une simulation sur ordinateur. C'est un phénomène naturel : autour d'un corps central, la matière a tendance à se rassembler sous forme d'un disque.

*– Est-ce le même principe que pour les tirs de fusées ? Est-ce pour cela que les bases de lancement – Baïkonour, cap Canaveral, Kourou – ont été choisies les plus proches possible de l'équateur ?*

– Pas du tout. Dans ce cas, on bénéficie de l'effet de fronde, mais il n'y a pas, heureusement pour les agences spatiales et les contribuables, de collisions en jeu. Mais l'analogie peut effectivement nous aider à comprendre. Tous ceux qui lancent des fusées savent qu'il faut une énergie considérable pour envoyer un satellite sur une orbite passant par les pôles. Il faut tellement d'énergie pour sortir du plan équatorial que le fait de trouver toutes les planètes dans le même plan, celui de l'équateur du Soleil, est une indication très forte, je dirais même une preuve, que le système solaire s'est constitué à partir d'un disque. Si le Soleil avait capturé les planètes au cours de son voyage dans la galaxie, elles se déplaceraient toutes dans des plans différents.

### *Les ronds, les plats et les tordus*

*– Ce que vous appelez un disque, c'est un système d'anneaux, comme autour de Saturne ?*

– Si vous voulez. Dans l'Univers, on trouve trois types d'objets : les ronds, les plats et les tordus. Une étoile est une sphère ; un amas d'étoiles, comme l'amas d'Hercule, est parfaitement rond parce qu'il n'y a pas de collisions entre les étoiles, trop distantes les unes des autres. Par contre, les anneaux de Saturne, les satellites autour d'une planète, une galaxie comme Andromède ou notre Voie Lactée forment, à des échelles bien différentes, des systèmes plats. Quand un trou noir absorbe la matière qui passe à son voisinage, il se forme un disque plat autour de lui. Tous ces objets plats résultent des collisions entre leurs composants. Enfin, les astres de forme bizarre sont souvent le résultat d'une collision, comme certains astéroïdes ou certaines galaxies. Deux objets qui se télescopent à grande vitesse donnent, après le choc, quelque chose de tordu. Il n'y a qu'à regarder deux voitures accidentées.

– *En fait, c'est l'absence de disque qui n'est pas naturelle. Comme autour de la Terre.*

– Il n'y a pas d'anneaux autour de la Terre ni autour de Vénus ou de Mars tout simplement parce qu'il n'y avait pas suffisamment de matériau au début.

– *Mais alors, comment se sont formées la Terre et les planètes ?*

– Il y a, *a priori*, deux manières de fabriquer une planète : soit par contraction d'un objet plus gros, un peu comme l'effondrement d'une étoile ; soit par rassemblement de morceaux épars. Il semble bien que la seconde méthode ait prévalu dans le cas de la Terre. En effet, pour qu'un morceau du disque primitif s'effondre sur lui-même et se contracte directement en une planète, il faudrait qu'il soit instable, ce qui n'est pas le cas grâce à la présence du Soleil.

## *Naissance d'une petite planète*

– *Résumons : une nébuleuse de matière interstellaire s'est donc effondrée sur elle-même, donnant une future étoile en train de se contracter, entourée d'un disque de gaz. À partir de là, comment est née notre Terre ?*

– Quand le Soleil a fini de se contracter, il est devenu nettement moins lumineux...

– *Pourquoi ?*

– Tout simplement parce que l'effondrement gravitationnel d'une étoile dégage beaucoup plus d'énergie que les réactions thermonucléaires. Mais il dure beaucoup moins longtemps. Le disque de gaz et de poussières, initialement très chaud, a donc commencé à se refroidir lui aussi. Des petits grains, pouvant atteindre quelques millimètres, sont apparus. Leur composition dépendait évidemment de la température, c'est-à-dire de la distance au Soleil.

– *L'accumulation de ces grains aurait formé les planètes ?*

– Pas directement. Il aurait fallu pour cela un temps supérieur à l'âge de l'Univers. Plusieurs processus sont intervenus pour aboutir à la Terre. De petites instabilités locales ou des turbulences de quelques centaines de mètres de dimension sont apparues.

– *Concrètement, cela se manifestait comment ?*

– À chaque instabilité, des grains se sont agglomérés pour former des petits objets de 500 mètres à 1 kilomètre de dimension. On appelle ces corps, qui sont nos ancêtres, des planétésimaux.

– *Comment est-on passé de ces espèces de grumeaux, composés de poussières et de gaz refroidis, à notre Terre ?*

– Au cours de leur ronde, les planétésimaux se heurtaient. Quand le choc était violent, ils se fragmentaient. Appelons cette rencontre un divorce. Mais, quand le choc était plus doux, ils s'agglutinaient. Appelons cela un mariage. De cette succession de mariages et de divorces, on est ainsi passé de planétésimaux d'une centaine de mètres à des embryons de planètes pouvant mesurer jusqu'à 1 000 kilomètres. Les collisions entre ces embryons ont, par la suite, formé des planètes comme la Terre.

– *Tout cela a-t-il demandé beaucoup de temps ?*

– À l'échelle astronomique, non. En moins de 100 000 ou 200 000 ans, nous sommes passés d'un disque de gaz aux planètes que nous connaissons, ce qui est très court par rapport à l'âge de 4 milliards et demi d'années de notre système. On peut considérer que la Terre est contemporaine du Soleil.

– *Pour fabriquer des planètes, il fallait que ça se cogne, mais pas trop fort.*

– Oui. On aurait pu imaginer que ces télescopages à répétition allaient mettre une fichue pagaille dans tout le système solaire. Eh bien, ce fut exactement le contraire qui advint. Les milliards de collisions mutuelles conduisirent à un système de planètes tournant toutes dans le même plan, sur des orbites quasi circulaires. En fait, c'est grâce à elles que le système, chaotique au départ, a atteint un état extrêmement ordonné.

*– À force de carambolages, nos planètes préférées ont donc fini par voir le jour.*

– Pour les quatre petites, proches du Soleil – Mercure, Vénus, la Terre et Mars –, ce scénario est très satisfaisant. Mais pour les planètes lointaines, géantes gazeuses sans sol solide, il reste quand même des questions. Il est possible que leurs noyaux aient été fabriqués de cette façon. Et qu'ils aient ensuite capturé l'hydrogène et l'hélium de la nébuleuse qui se trouvait loin du Soleil. Plus près, il faisait trop chaud pour retenir ces gaz très volatils. Mais certains chercheurs, reprenant le scénario des étoiles, explorent l'idée des planètes géantes directement formées par l'effondrement d'un morceau de la nébuleuse primitive.

*– Est-ce que le gros Jupiter pourrait être une étoile avortée ?*

– Oh, non ! Il est bien trop petit ! Il s'en faut pratiquement d'un facteur cent ! La masse totale des planètes, de leurs satellites, des astéroïdes et de tous les corps qui tournent autour du Soleil atteint seulement deux millièmes de sa masse. Or, nous avons vu qu'il en faut au moins un dixième pour faire une étoile.

*– Et notre Terre ? Elle représente quoi ?*

– Un millionième de la masse solaire.

## *Désordre spatial*

*– Ça ne fait effectivement pas bien gros. Tout le disque s'est donc métamorphosé en planètes ?*

– Non. Il est resté de nombreux débris. Le système solaire ressemble à un chantier qui, la maison construite, n'aurait pas été nettoyé par les maçons. Des briques semblables à celles qui ont formé les planètes traînent encore là. C'est pourquoi nous voulons aller les explorer pour comprendre à quoi ressemblait la nébuleuse primitive.

– *Où sont ces briques ?*

– Partout. Des dizaines de milliers d'astéroïdes et des milliers de milliards de comètes sont les descendants directs des planétésimaux. Les comètes, formées loin du Soleil, contiennent beaucoup d'éléments volatils, elles peuvent être considérées comme les planétésimaux du froid. Les astéroïdes, plus proches du Soleil, contiennent plus d'éléments réfractaires, ce sont les planétésimaux du chaud. Ces corps continuent de temps en temps à se heurter et à bombarder planètes et satellites.

– *Le bombardement de la Terre continue ?*

– Oui, mais à un rythme beaucoup plus faible qu'aux premiers instants du système solaire.

– *Cette Terre primitive issue de toutes ces collisions ne devait pas ressembler à celle que nous connaissons, avec ses océans, ses continents, son ciel bleu et ses nuages...*

– C'est vrai, elle nous apparaîtrait comme un enfer ! La surface, portée à une température de plusieurs milliers de degrés, était couverte de laves. Mais un processus très important s'est mis en route : la différenciation, qui est certainement l'un des événements les plus importants de l'histoire de notre planète. C'est elle qui est à l'origine de la formation du noyau, du manteau et de la croûte terrestre, permettant aux volcans, aux océans, aux continents, aux paysages que nous connaissons et à l'atmosphère d'apparaître.

## *La vinaigrette planétaire*

– *La jeune Terre était très chaude bien que née dans une zone relativement froide ?*

– Cela n'a rien à voir. Il ne faut pas confondre la chaleur du Soleil et la sphère terrestre qui possède ses propres sources d'énergie. Plusieurs phénomènes sont à l'origine de cette chaleur primitive : les collisions, la contraction, la radioactivité et les marées. Le bombardement intense lors de la formation de la Terre a dégagé beaucoup d'énergie. Il suffit de se rappeler qu'un corps frappant la planète à une vitesse de 11 kilomètres à la seconde libère une énergie équivalente à l'explosion de son poids en TNT. Ensuite, au tout début, la Terre s'est contractée sous son propre poids. Comme nous l'avons vu dans le cas du Soleil, cela s'accompagne d'un important dégagement de chaleur. La radioactivité naturelle des roches a aussi apporté son lot et, enfin, les marées ont joué un petit rôle.

– *Mais, alors, la Terre risque-t-elle de devenir un astre mort comme la Lune ?*

– À très long terme, oui. Un corps comme la Lune est pratiquement déjà totalement refroidi, alors que la Terre est restée une planète vivante qui continue à évacuer sa chaleur interne vers l'extérieur.

– *Comment décrire cette différenciation, tellement fondamentale ?*

– Dans cette Terre en fusion, les éléments les plus lourds, comme le fer et le nickel, tombaient vers le centre pour former un noyau très dense. Au contraire, les éléments légers, tels l'oxygène, le silicium, l'aluminium, le calcium, le potassium ou le soufre, remontaient vers la surface et formaient une fine croûte flottant sur le manteau. Tout se passait comme dans le cas d'une vinaigrette : si l'on attend suffisamment longtemps, le vinaigre, plus dense, tombe peu à peu au fond, tandis que l'huile flotte en surface.

– *Quels sont les principaux composants de la Terre ?*

– D'abord le fer, qui constitue 35 % de la planète. Puis l'oxygène, 30 %. Le silicium, 15 %. Le magnésium, 13 %. Le nickel, 2,4 %. Viennent ensuite le soufre, le calcium et l'aluminium, qui comptent chacun pour moins de 2 %. Tout le reste représente moins de 1 %.

– *Le jour où l'on saura creuser jusqu'au noyau, c'est un autre âge du Fer qui commencera !*

– Il ne faut pas trop compter dessus. On sortira sans doute du système solaire bien avant de voyager au centre de la Terre ! Dans ce cas précis, Jules Verne n'était pas raisonnable : c'est l'un des endroits les plus inaccessibles de l'Univers, à cause de la chaleur infernale et de la pression colossale, bien supérieures à ce qui existe dans la bouche des volcans. Tout instrument serait fondu et broyé bien avant de progresser. Les mineurs de fond savent que les conditions deviennent très pénibles au-delà de 1 000 mètres sous terre, et les forages les plus profonds n'ont pas atteint 20 kilomètres. Or, le centre de la Terre se trouve à 6 378 kilomètres de la surface.

– *C'est vrai que la Terre est un corps solide !*

– Solide ou non, l'intérieur des astres est inaccessible, sauf pour des particules aussi particulières et exotiques que les neutrinos. Dans le cas d'un corps gazeux, comme le Soleil, même un photon a de la peine à se faufiler ! Pour aller du centre vers l'extérieur, il met plus de 8 millions d'années, alors qu'ensuite le trajet entre l'atmosphère solaire et la Terre ne lui demande que 8 minutes.

## *L'hydrogène nous quitte*

– *La Terre est-elle née avec son atmosphère ?*

– Non. Elle a dû la fabriquer elle-même. Le dégazage, à travers les roches de la croûte, et le volcanisme ont apporté les constituants essentiels. Notre atmosphère est dite secondaire. Par contre, les planètes géantes possèdent des atmosphères primaires ; elles sont nées avec leur atmosphère d'hydrogène et d'hélium. Leur composition est semblable à celle du Soleil et du gaz de la nébuleuse primitive qu'elles ont su conserver.

– *Parce qu'elles sont massives ?*

– Non, c'est le contraire : elles sont massives parce qu'elles ont capturé l'hydrogène et l'hélium primitifs. Loin du Soleil, au froid, le gaz de la nébuleuse primitive a survécu aux premiers instants. Près du jeune Soleil, il faisait très chaud, et les éléments les plus légers se sont évaporés avant même la formation des planètes. La Terre, Vénus, Mars et Mercure ont été formées à partir d'un milieu privé de l'hydrogène et de l'hélium, c'est-à-dire à partir de ce qui restait après que 99 % du matériau se fut évaporé. C'est pourquoi les planètes internes sont si chétives. Elles n'ont pas d'anneaux, pas de système complet de satellites, pas d'hydrogène, pas d'hélium. Ce sont des débris, mais nous aimons bien le débris sur lequel nous vivons.

*– Il n'y a pas d'hydrogène sur la Terre ?*

– Très peu. À l'état libre, il s'évade. C'est en utilisant ce principe que les dirigeables à hydrogène ont été construits. En revanche, l'hydrogène est conservé s'il est lié avec d'autres atomes au sein d'une molécule, par exemple l'eau $H_2O$ ou le méthane $CH_4$. Sans cesse, des atomes quittent pour toujours l'atmosphère de la Terre.

*– C'est triste ! Quand les enfants lâchent dans le ciel des ballons de toutes les couleurs dont le gaz va s'échapper peu à peu, parce que les ballons sont poreux, c'est dans l'espace qu'ils envoient de l'hélium ?*

– Pas forcément. En cours de route, il est possible d'interagir avec d'autres atomes. Mais il se produit tant de réactions chimiques à tous les niveaux de l'atmosphère, et entre l'atmosphère et les océans, que des molécules nouvelles apparaissent sans cesse, par exemple au cours des éruptions volcaniques. L'atmosphère terrestre est un corps vivant qui perd sans cesse du matériau et qui en reçoit sans cesse. Il n'y a donc pas de problème, pour l'instant.

*– L'atmosphère terrestre peut-elle changer à nouveau ?*

– Bien entendu ! C'est pourquoi il faut être très vigilants et ne pas jouer nous-mêmes avec le feu. Nous savons que l'atmosphère de Mars a fortement évolué avec le temps. Le dégazage a été intense dans les premiers temps, lorsque notre planète, très chaude, était en cours de différenciation. Mais le phénomène s'est toujours poursuivi. La Terre fabrique en permanence de l'atmosphère au moyen du volcanisme.

*– Les volcans ne crachent pourtant pas du bon air pur de la campagne !*

– Non, bien sûr. À l'origine, l'atmosphère de la Terre était composée d'azote, de dioxyde de carbone, de méthane, d'ammoniaque... La vie et les plantes ont aussi joué un rôle important et, heureusement pour nous, continuent à le faire.

*– Toutes les planètes telluriques se sont fabriqué une atmosphère ?*

– Vénus, qui est de la même taille que la Terre, oui. Mercure et la Lune sont trop légères pour conserver la moindre atmosphère. Mars, qui est plus petite que la Terre, a peu à peu perdu une grande partie de la sienne. Une lente évaporation au cours du temps.

*– Il reste tout de même une atmosphère sur Mars ?*

– Bien sûr. L'atmosphère de la Terre est cent fois moins dense que celle de Vénus et cent fois plus dense que celle de Mars. Mais Mars a tout de même retenu un peu de la sienne. D'ailleurs, les sondes *Viking* tombaient au bout d'un parachute !

*– La Terre était donc là, chaude comme un petit pain sortant du four. En combien de temps cela s'était-il passé ?*

– Rapidement à l'échelle astronomique : entre le moment où la nébuleuse primitive a commencé à se contracter et celui où la Terre s'est agglomérée, moins d'une centaine de millions d'années s'étaient écoulées. Son aventure allait pouvoir débuter.

SCÈNE 2

# Au clair de la Lune

Bien plus qu'un satellite, c'est une compagne qui apparaît : la Lune, ses charmes et ses mystères. Les deux planètes s'influencent mutuellement, au point qu'il sera dorénavant impossible de parler de l'une en oubliant l'autre.

## *Une famille monoparentale*

*– Une planète plutôt petite autour d'une étoile moyenne. La situation était banale. Rien n'aurait pu laisser prévoir l'étonnant destin de la Terre ?*

– La situation n'était pas si banale que ça. 80 % des étoiles vivent en couple. Les étoiles doubles, c'est-à-dire gravitant l'une autour de l'autre, sont la règle dans l'Univers. Le Soleil, étoile célibataire, fait plutôt figure d'exception. Or, pour que la vie apparaisse un jour, il fallait qu'il en soit ainsi. Dans un système double, les deux étoiles n'ont pas exactement la même masse. L'une est donc plus lumineuse, et la température en son voisinage est par conséquent plus élevée.

*– En quoi cela aurait-il été un obstacle ? Est-ce qu'il n'aurait pas suffi que la planète soit à la bonne distance ?*

– Justement. Il aurait été bien difficile de trouver une bonne distance. Une orbite circulaire n'aurait pu exister que très près d'une des deux étoiles, loin de l'influence de l'autre ; ou très loin des deux, là où elles paraissent pratiquement se confondre. Dans le premier cas, il aurait fait beaucoup trop chaud pour que la moindre vie apparaisse ; dans le second, il aurait fait beaucoup trop froid. À des distances intermédiaires, les orbites auraient eu des formes de 8, et d'éventuelles planètes seraient passées alternativement près de chaque étoile. Les variations de température auraient été considérables, ce dont s'accommode mal la vie. Elle préfère des conditions plus stables.

– *Et l'orbite de la Terre autour du Soleil les assurait. À moins qu'en 4 milliards d'années elle n'ait changé ?*

– Non. Depuis sa formation, la Terre est restée sur la même orbite, comme toutes les autres planètes. Elle ne s'est ni rapprochée ni éloignée notablement du Soleil.

– *La rotation sur elle-même n'a pas varié non plus ?*

– Si. Au début de sa vie, la Terre tournait infiniment plus vite. Les jours ne duraient qu'une dizaine d'heures.

– *De quoi donner le tournis. Les couchers de Soleil devaient ressembler à des plongeons !*

– Cette vitesse initiale de rotation résultait de toutes les collisions entre planétésimaux. Il y a 200 millions d'années, ce qui n'est pas très vieux aux échelles astronomiques, 1 an comportait encore 400 jours d'un peu moins de 22 heures. Actuellement, ils augmentent de 0,002 seconde par siècle. Cela signifie que chaque matin on se lève tout de même un peu plus tard.

– *Pourquoi ce ralentissement ?*

– La Lune et ses marées jouent un rôle essentiel.

– *À ce propos : quand la Lune est-elle apparue ? Une histoire de la Terre ne peut ignorer cette belle noctambule qui change si souvent de quartier.*

– Certainement pas ! Sans la Lune, la Terre ne serait pas ce qu'elle est, et nous-mêmes n'existerions peut-être pas : la Lune a probablement joué un rôle fondamental dans l'histoire de la vie. Sa formation est contemporaine de celle de la Terre : nous le savons depuis les missions *Apollo.*

– *Pourquoi, si les deux planètes ont le même âge, l'une est-elle aussi marquée par les cratères de météorites ?*

– *A priori,* la Terre et la Lune, bombardées au même rythme, devraient avoir la même densité de cratères d'impact, mais la Lune, dépourvue d'atmosphère, est géologiquement inactive depuis des milliards d'années. Son sol a enregistré toutes les collisions, sans en effacer les traces, comme le fait la Terre avec l'érosion, le volcanisme et les diverses transformations géologiques qu'elle connaît sans cesse. Paul Tapponnier va nous raconter cela.

## *L'énigme lunaire*

– *Comment la Lune s'est-elle formée ?*

– À franchement parler, nous ne le savons pas vraiment. Depuis 200 ans, trois théories s'opposent. De temps en temps, l'une a les faveurs de la mode, mais nous avons encore beaucoup de peine à faire notre choix, même si certains pensent de nos jours que la Lune, formée relativement près de la Terre, est entrée en collision avec elle et a été capturée.

– *Pourtant, la Lune est le seul corps céleste sur lequel nous ayons débarqué et d'où nous ayons rapporté des cailloux !*

– Oui. Cela pose une grande question aux astrophysiciens. C'est l'astre sur lequel nous disposons de la plus grande masse d'informations… et c'est celui dont on connaît le moins bien l'origine ! Restons donc modestes : de nombreuses affirmations concernant les étoiles, les galaxies et même le système solaire seront peut-être infirmées le jour où nous aurons accumulé encore plus de données.

– *Que sait-on avec certitude de la Lune aujourd'hui ?*

– Nous connaissons son âge avec précision : 4,45 milliards d'années, à comparer avec les 4,50 milliards d'années de la Terre. En mesurant la quantité de plusieurs variétés d'oxygène contenue dans ses roches – les scientifiques appellent cela des isotopes –, on a pu se faire une idée de sa distance au Soleil au moment de sa naissance. Conclusion : elle n'a pas pu se former très loin de la Terre. Elle est apparue dans une zone qui se situe, au maximum, à mi-chemin entre la Terre et Vénus, d'un côté, et à mi-chemin entre la Terre et Mars, de l'autre. Disons : dans une région de quelque 50 millions de kilomètres de largeur, centrée sur la Terre.

– *Ce n'était donc pas une nomade venue du fond du ciel et capturée par la Terre comme l'affirment certaines théories ?*

– Absolument pas. Il est bien difficile de capturer un objet de passage : il vient de l'infini, sa trajectoire est déviée au moment du survol de la Terre, puis il poursuit sa route vers l'infini… En astronomie – je dis bien en astronomie –, on ne peut former ou détruire un couple qu'en faisant intervenir un troisième corps.

– *Mais alors, si elle ne vient pas de très loin, la Lune pourrait-elle être un morceau arraché à la Terre ?*

– Au XIXe siècle, le fils de Darwin, astronome, a émis cette idée que la Lune serait issue de la Terre. En tournant trop vite, notre planète se serait cassée en morceaux. Difficile d'imaginer un tel scénario ! Tous les enfants jouant avec une fronde savent que la pierre part dans le plan de rotation. Or, la Lune n'est pas dans le plan équatorial de la Terre.

– *Pourrait-elle être une sœur jumelle de la Terre ?*

– Elle est bien née dans le système solaire, relativement près de la Terre, mais elle n'en est pas une petite sœur : elle n'a pas la même composition. Elle devrait avoir un noyau ; or, dans la Lune, il n'y a pratiquement pas de fer. Sa composition ressemble à celle du manteau terrestre. Certains ont donc avancé l'idée d'un troisième corps, de la taille de Mars, qui aurait percuté la Terre et en aurait arraché un morceau superficiel. Ce qui expliquerait l'absence de fer.

– *Pourquoi précisément de la taille de Mars ?*

– Un corps plus petit que Mars n'aurait pas eu assez d'énergie pour être efficace, et un corps plus gros aurait détruit la Terre… Cette théorie est encore bien spéculative et de nombreuses observations devront être faites avant de conclure sur l'origine de notre Lune.

– *Ce n'est pourtant pas faute de la regarder !*

– Il faut se dire que depuis 4 000 ans, des milliers de personnes ont étudié la Terre et les planètes. Or, il y a seulement un siècle, on ignorait que les continents dérivaient ; les planètes n'étaient que des points de lumière dans le ciel ; personne ne vivait en Antarctique ; le fond des océans, les sommets des plus hautes montagnes et le milieu des déserts n'avaient jamais été explorés... Au XX^e siècle, de grands pas ont été franchis, mais il nous reste encore beaucoup à apprendre pour mieux connaître la Terre.

– *Va-t-on devoir retourner sur la Lune ?*

– Certainement ! Mais autrement. Il faudrait envoyer des scientifiques. Les premiers pas ont été de nature sportive. À part Harrison Schmitt, passager d'*Apollo 17*, qui était géologue de profession, tous les astronautes des missions lunaires ont accompli des performances physiques hors de portée de la majorité des scientifiques. Pour récolter un maximum d'informations utiles, il faudra rendre les voyages un peu plus confortables.

## *Marées continentales*

– *On connaît tout de même mieux la Lune que naguère.*

– Incontestablement. Depuis le XIX^e siècle, nous avons fait des progrès importants dans la connaissance de notre satellite : aujourd'hui, on sait ce qui est faux... Mais, malheureusement, nous ne détenons pas encore toute la vérité.

– *Nous avons tout de même quelques certitudes. Par exemple, que la Lune et la Terre s'influencent mutuellement...*

– Oui, à cause des effets de marée, la rotation de la Terre est continûment ralentie, et la Lune s'éloigne inexorablement de nous. Si la Terre avait été isolée, sa rotation n'aurait pas changé, puisque dans le vide il n'y a pas de frottement. Mais les effets de marée du Soleil et de la Lune ont toujours freiné la Terre.

– *Les marées, ce sont bien les conséquences de l'attraction de la Lune sur les océans ?*

– Non. L'effet de marée ne se limite pas au bord de mer ! À cause de la diversité des formes des côtes, elles sont plus ou moins spectaculaires. Mais tous les points du globe terrestre, aussi bien à l'intérieur qu'à la périphérie, sont attirés par la Lune. Plus généralement, tous les astres se déforment mutuellement quand ils sont proches l'un de l'autre. Et la perte d'énergie due à cette déformation modifie leurs vitesses de rotation et de révolution. Comme l'attraction dépend de la distance et que les divers points du globe sont situés à des distances de la Lune différentes, ils subissent une attraction différente. La Terre est alors déformée.

– *Ces forces doivent être considérables pour réussir à ralentir la Terre !*

– Pour vous donner une idée des forces en jeu, deux personnes allongées dans l'herbe tendre et séparées par une distance d'un centimètre sont attirées l'une vers l'autre par une force gravitationnelle cent mille fois plus faible que celle de la Terre, mais à peu près équivalente à celle de la Lune. Il peut certes exister entre elles des forces d'attraction d'une autre nature, mais il ne s'agit plus là de gravitation. Bref : Soleil, Terre, Lune..., tous les corps s'attirent et se déforment mutuellement.

– *Ils se déforment de façon notable ?*

– Oui. Prenons le cas de la Terre et de la Lune. Il s'agit de volumes, pas de points. À tout moment, la face de la Lune qui est la plus proche de la Terre est plus fortement attirée que le centre, lui-même plus attiré que la face opposée. En conséquence, les deux faces s'éloignent et la Lune qui, *a priori*, est une sphère prend la forme d'un ballon de rugby. Comme la Lune tourne sur elle-même, elle est sans cesse déformée.

### *La Lune déforme la Terre*

– *Je suppose que le même phénomène a lieu pour la Terre...*

– Bien entendu. La Terre, comme la Lune, prend une forme allongée.

– *Pourquoi un ballon de rugby et pas seulement une excroissance sur la partie où s'exerce l'attraction maximale ?*

– Le centre est moins attiré que la face proche et plus que la face opposée. Donc, au rythme de leur rotation, le globe terrestre comme le globe lunaire se déforment pour maintenir cette forme de ballon de rugby dont le grand axe est dirigé vers l'astre voisin. Comme si nous étions à la surface d'un cœur, nous sommes soulevés toutes les douze heures de plusieurs dizaines de centimètres.

– *C'est donc en passant devant la Lune qu'il y a marée haute, parce que la mer est attirée vers le ciel ?*

– Pas seulement ! L'eau des océans, plus fluide, se déforme plus facilement, mais c'est la Terre dans son ensemble qui se déforme périodiquement, en même temps que les océans. La Terre n'est pas aussi rigide qu'on l'imagine. Pas plus d'ailleurs que les autres corps du système solaire. Le sol monte et redescend plus ou moins selon les latitudes. Comme tout bouge ensemble, on ne s'en rend pas compte.

– *En France, le sol se soulève de combien ?*

– 30 centimètres en moyenne. C'est, bien sûr, moins spectaculaire que les marées océaniques : 50 centimètres en pleine mer, mais plusieurs mètres dans des eaux peu profondes, et même plus de 10 mètres dans certaines baies.

– *Et le Soleil ? Il ne provoque pas de marées, lui aussi ?*

– Si, bien sûr. Il a une masse colossale : 200 millions de fois celle de la Terre, mais il est près de 400 fois plus loin que la Lune. Les marées solaires sont importantes, mais leur intensité est tout de même deux fois moindre que celle de la Lune.

– *L'amplitude des marées varie. Cela correspond à quoi ?*

– Au rôle combiné du Soleil et de la Lune. Les marées océaniques atteignent leur maximum à la pleine lune et à la nouvelle lune, moments où Lune, Terre et Soleil sont alignés. Les effets se conjuguent. Alors qu'à la demi-Lune, Lune, Terre et Soleil forment un angle droit, leurs effets se compensent et les marées sont au minimum.

– *Lors des marées, la Terre se déforme jusqu'à quelle profondeur ?*

– Partout ! Les géophysiciens se sont d'ailleurs posé la question de savoir si les marées pouvaient avoir des conséquences sur les tremblements de terre, les failles, les fractures, le volcanisme, etc. La réponse a été négative : l'intensité mise en jeu n'est pas suffisante.

– *Et le fait que la planète soit ovale change beaucoup de choses ?*

– Oui. Déformer un corps comme la Terre consomme beaucoup d'énergie. Au bout du compte, la vitesse de rotation en a pâti.

*– Puisque l'effet de marée continue et que le mouvement de ralentissement n'a plus cessé, peut-on imaginer qu'un jour la Terre cessera de tourner ?*

– Pas du tout. La déformation du globe terrestre n'est pas instantanée. À peine a-t-il pris une forme ovale qu'il a déjà tourné, et l'axe du ballon de rugby est légèrement décalé par rapport à la Lune. Ce décalage a été mesuré, il est d'environ 3 degrés.

*– Et c'est ce décalage qui ralentit la Terre ?*

– En quelque sorte. Quand la période de rotation de la Terre sur elle-même aura diminué au point d'être égale à celle de la révolution de la Lune autour de la Terre, une certaine harmonie sera atteinte : il n'y aura plus de ralentissement.

### *La face cachée de la Terre*

*– Autrement dit, le jour sera égal au mois...*

– Oui. Ce jour-là, la Terre présentera toujours la même face à la Lune. Une moitié de la Terre verra en permanence la Lune, l'autre moitié ne la verra jamais. Peut-être installera-t-on les poètes sur un côté et les bureaucrates sur l'autre ?

*– Mettrez-vous les astronomes sur la face des poètes ou sur celle des bureaucrates ?*

– Par goût avec les poètes, mais pour observer le ciel, je dois reconnaître qu'il vaut mieux une nuit sans lune.

*– C'est pour cela que nous voyons toujours la même face de la Lune ?*

– Exactement ! La Lune moins massive, attirée par une planète plus grosse qu'elle, a été synchronisée plus rapidement que la Terre : à force de ralentir sa rotation, elle en est arrivée à tourner sur elle-même dans le même temps qu'elle tournait autour de la Terre : 28 jours. Nous ne voyons jamais directement la face cachée de la Lune. Pour que la Terre aussi se synchronise, il faudra attendre encore quelques milliards d'années !

– *Quelle sera alors la longueur du jour ?*

– Celle du mois futur, c'est-à-dire de l'ordre de 50 de nos jours. Parce que, entre-temps, la Lune se sera éloignée à trois fois sa distance actuelle, et que le mois aura donc, lui aussi, augmenté. Les journées et les nuits seront bien longues.

– *Les autres satellites et les autres planètes connaîtront-ils la même aventure ?*

– Oui, bien entendu. Mais l'histoire est un peu différente d'un couple à l'autre. Phobos autour de Mars ou Triton autour de Neptune se rapprochent de la planète et vont s'écraser dans quelques dizaines de millions d'années, c'est-à-dire bientôt.

– *Pendant ce temps, la Lune, elle, s'éloigne !*

– Pour comprendre cela, il faut savoir qu'il existe, autour de la Terre et de tous les astres, trois sphères entre lesquelles se déplacent tous les satellites. La première s'appelle la limite de Roche, du nom d'un mathématicien français qui décrivit cet effet à Montpellier, en 1850. Il s'agit d'une zone à l'intérieur de laquelle les effets de marée sont si considérables que tout corps qui en franchit la limite est brisé par la gravité. Pour la Terre, la limite de Roche se situe à environ 18 000 kilomètres. Si la Lune, actuellement à 380 000 kilomètres, se rapprochait trop près de nous, elle se briserait en morceaux qui, en se cognant mutuellement, finiraient par former un bel anneau.

*– Je suppose que cette limite varie selon les planètes, qu'elle n'est pas toujours de 18 000 kilomètres.*

– Bien entendu. En gros, la limite de Roche se situe à une distance comprise entre deux fois et demie et trois fois le rayon de l'objet. Cela dépend de la densité de la planète et des satellites. C'est pour cela que, dans le voisinage immédiat des planètes géantes, on trouve des anneaux et non des satellites.

*– Pourtant, les satellites artificiels, les avions, nous-mêmes et tous les objets qui nous entourent se trouvent à l'intérieur de la limite de Roche...*

– Cet effet n'est efficace que sur un corps de grande taille. Sinon, la distance entre les différents points de l'objet, même les plus éloignés, n'est pas suffisante pour que la différence d'attraction soit notable. Un avion ou un satellite artificiel sont minuscules à l'échelle de la Terre. Quant à moi, je ne me sens pas écartelé entre ma tête et mes pieds ! L'effet de Roche n'est notable que sur des corps ayant au moins 100 ou 200 kilomètres de dimension.

*– Quelle est la deuxième sphère ?*

– Celle de l'orbite synchrone, bien connue de tous ceux qui captent la télévision par satellite. À cette distance, la période de révolution autour de la planète est la même que celle de la rotation de la planète sur elle-même. Comme nous l'a appris Kepler il y a bientôt quatre siècles, la période de révolution autour d'un astre dépend de sa distance. Pour faire en 24 heures le tour de la Terre, un corps doit se trouver à

36 000 kilomètres de celle-ci. Sur cette orbite, un satellite reste toujours en position fixe au-dessus du même point de la planète.

– *C'est la fameuse orbite géostationnaire.*

– Voilà. On y place les satellites de communication, de télévision, etc. Mais pour des planètes lentes, comme Mercure qui tourne en 88 jours et Vénus qui tourne en 250 jours, l'orbite synchrone sera beaucoup plus lointaine, bien au-delà de la limite de Roche. En revanche, pour Jupiter ou Saturne, qui tournent en 10 heures environ, elle sera située en deçà de la limite de Roche : au milieu des anneaux.

## *Bras de fer céleste*

– *Cette orbite synchrone de la Terre ne concerne pas la Lune.*

– Vous verrez que si. La troisième sphère est la sphère d'influence, domaine à l'intérieur duquel il peut y avoir un satellite. Au-delà, il s'évade. La Lune est attirée par la Terre, mais aussi par le Soleil. Si elle se trouvait trop éloignée de la Terre, l'attraction du Soleil l'emporterait. Elle cesserait d'être notre satellite pour devenir une planète à part entière.

– *Mais, déjà à la distance actuelle, l'attraction du Soleil sur la Lune est beaucoup plus forte que celle de la Terre. Comment se fait-il que la Lune tourne autour de la Terre et non autour du Soleil ?*

– Cette question a embarrassé des générations d'étudiants. Oui, la force d'attraction du Soleil sur la Lune est supérieure à celle de la Terre. Mais il faut tenir compte de toutes les forces. Le Soleil attire la Terre en même temps que la Lune.

C'est la différence d'attraction Soleil-Lune et Soleil-Terre qui compte et qui doit être comparée à l'attraction Terre-Lune.

– *À quelle distance se trouve la limite de la sphère d'influence de la Terre ?*

– À 1 million 700 000 kilomètres environ. Cela signifie qu'aucun satellite de la Terre ne peut exister au-delà.

## *La Lune s'en va*

– *La Lune est donc dedans. Aucun risque de la perdre.*

– En fait, non. Tout évolue, comme depuis le début de cette histoire. Au rythme de quelques mètres par siècle, la Lune continuera à s'éloigner de la Terre, tant que le mois et le jour n'auront pas été synchronisés. Un calcul précis montre que cette synchronisation aura lieu juste avant qu'elle ne sorte de la sphère d'influence. On peut dire que notre vieux couple se distend régulièrement, mais que, finalement, la Lune restera fidèle, elle n'ira jamais tourner directement autour du Soleil.

– *Y a-t-il déjà eu des satellites volages ?*

– Personne ne le sait puisqu'ils sont partis. Mais il est très possible que Vénus ou Mercure aient connu l'infortune d'être abandonnées. Proches du Soleil, ces deux planètes ont des sphères d'influence plus petites que celle de la Terre et elles tournent très lentement sur elles-mêmes à cause des effets de marée du Soleil, beaucoup plus proche que dans notre cas. Un satellite d'une de ces planètes, s'il a existé, ne peut plus être là. La Terre, elle, s'est trouvée pile au bon endroit. Plus près du Soleil, elle n'aurait probablement pas pu retenir la

Lune ; plus loin, elle l'aurait gardée, mais il n'aurait pas fait assez chaud pour que la vie apparaisse.

*– Vous n'avez toujours pas expliqué l'importance de l'orbite synchrone dans la relation Terre-Lune.*

– J'y arrive. À l'intérieur de la limite de Roche, un satellite se brise. Au-delà de la sphère d'influence, il s'évade. Il ne peut donc exister qu'entre les deux. Mais, à l'intérieur de cette zone, selon qu'il est en deçà ou au-delà de l'orbite synchrone, le satellite se rapproche ou s'éloigne de la planète.

*– Pourquoi ?*

– Tout simplement parce que, à l'intérieur, il tourne plus vite sur lui-même qu'autour de la planète, et que, à l'extérieur, c'est le contraire. Ceci est un résultat direct des lois de Newton, compris depuis plus de trois siècles. La Lune, située à 380 000 kilomètres, bien au-delà des 36 000 kilomètres, est dans le second cas : elle s'éloigne. Nous l'avons vérifié expérimentalement il y a une trentaine d'années seulement.

*– Comment ?*

– Quand les astronautes ont débarqué sur la Lune, ils y ont installé un petit miroir. On a tiré dessus de la Terre avec un puissant laser et le temps d'aller et retour du rayon lumineux a été mesuré. Chaque fois qu'on recommence l'expérience, ce temps augmente, donc la distance augmente.

*– Est-ce un écart très important ?*

– Quelques centimètres par an. C'est comparable à la vitesse de croissance des ongles. Au bout d'un siècle, cela fait tout de même des mètres. Notre satellite ne peut en aucun cas rester à la même distance de la Terre. Tous les satellites du système solaire s'éloignent ou se rapprochent de leur planète. La nature est gérée par un petit nombre de lois physiques. En conséquence, tous les objets de l'Univers obéissent à quelques contraintes, peu nombreuses, mais totalement incontournables.

– *Est-ce qu'il n'y a pas une exception de temps à autre pour confirmer la règle ?*

– Non. Les lois de la grammaire ou de la république peuvent connaître quelques exceptions, pas les lois de la physique. Ainsi, tous les objets de l'Univers existent entre des limites bien précises. La masse d'un corps détermine son avenir : planète, étoile, galaxie. Il ne peut pas exister de planètes supermassives ou de galaxies légères. Même une montagne ou un être vivant ont des limites : environ 30 kilomètres d'altitude pour la première et 50 mètres pour le second.

### *La plus haute montagne du monde*

– *Pourquoi ?*

– Pour se déplacer facilement, la nature a inventé des corps soutenus par des pattes. La solidité des pattes est assurée par les os. Plus la section d'un os est grande, plus il est résistant. Si l'on fait grossir un être vivant, sa masse croît, comme le volume, avec le cube de la dimension, tandis que la résistance des os augmente comme le carré. Il vient donc inévitablement un moment où les pattes ne peuvent plus soutenir le corps, il s'effondre sur lui-même. C'est pour ça que les pattes des insectes sont très fines et celles des éléphants épaisses. La taille limite est atteinte quand la patte devient aussi grosse que le corps. Jamais on ne trouvera sur Terre d'individus de 500 mètres de haut. Les lois de la physique l'interdisent. Même phénomène pour les montagnes : elles ne peuvent dépasser 30 kilomètres d'altitude sans s'enfoncer dans la planète sous l'effet de leur poids. D'ailleurs, la plus haute montagne de tout le système solaire, le volcan Olympus Mons, qui se trouve sur Mars, ne fait qu'un peu plus de 20 kilomètres d'altitude.

*– Tout ce qui nous est familier, qui semble solide, éternel, n'est donc que fluctuations entre d'étroites limites physiques ?*

– En quelque sorte, oui. Notre Lune, qui fait tellement partie du paysage nocturne de la Terre, est en train de s'en aller, et, du coup, la durée des mois augmente. Dans le passé, elle tournait en moins de 20 jours. Maintenant, elle fait le tour de la Terre en 28 jours. Dans le futur, elle tournera en 35-40 jours…

*– Le mois est une unité lunaire ?*

– Bien sûr. Le jour est la durée de rotation de la Terre sur elle-même. Le mois est le temps de révolution de la Lune autour de la Terre. Quant à l'année, c'est la durée de la révolution de la Terre autour du Soleil. Mais ces trois périodes ne sont pas commensurables : il n'y a pas un nombre entier de jours dans le mois et un nombre entier de mois dans l'année. Il a fallu 4 000 ans pour se mettre d'accord sur un calendrier, avec quelques approximations : le mois lunaire ne fait pas encore 30 jours, la Lune ne tourne pas plus vite en février qu'en juillet, la Terre ne met pas 1 jour de plus tous les 4 ans pour tourner autour du Soleil…

*– Revenons à notre couple Terre-Lune. Les marées, solaires cette fois, ne vont-elles pas le perturber ?*

– Bien sûr que si. Le système Terre-Lune-Soleil tend à se synchroniser. Mais c'est en fait impossible : le mois ne peut pas être égal à l'année…

*– Alors, que va-t-il se passer ?*

– Le Soleil va tendre à détruire la synchronisation Terre-Lune. Mais cette question est bien académique : à cette époque-là, le Soleil, en fin de vie, sera devenu une géante rouge, et nous aurons toutes les chances d'être absorbés ou rôtis.

*– Oublions ce futur qui finit mal. Et revenons à notre histoire. En quoi l'arrivée de la Lune a-t-elle joué un rôle dans l'apparition de la vie sur Terre ?*

– L'axe de rotation de la Terre est oblique. Et il peut être perturbé par Jupiter, Saturne et tous les corps du système solaire par des effets de résonance…

*– Vous ne serez pas surpris si je vous demande ce qu'est la résonance !*

– Tout le monde a poussé sa petite cousine sur une balançoire. En poussant n'importe comment, on contrarie autant le mouvement qu'on ne l'amplifie et la balançoire finit par s'arrêter. Au contraire, en poussant toujours au bon moment, même faiblement, le mouvement prend de l'amplitude. Alors, parce que la cousine pousse des cris et fait semblant d'avoir peur, on trouve ça très amusant, on continue et elle monte toujours plus haut. C'est cela la résonance : une perturbation faible, mais toujours dans la même direction, qui peut faire tomber le pont suspendu sur lequel une troupe marche au pas ou encore faire exploser la fusée au décollage. Un effet petit mais systématique l'emporte toujours sur un effet de grande amplitude, mais aléatoire. Nombreuses sont les résonances dans le système solaire, entre des corps aussi différents que Jupiter, Saturne, la Lune, la Terre.

*– En quoi est-ce important ?*

– L'inclinaison de l'axe de rotation de la Terre est responsable des écarts de température entre hivers et étés. Plus l'axe est incliné, plus ces écarts sont grands. C'est cette inclinaison de l'orbite qui détermine les différences entre les saisons et non la distance au Soleil comme le croient encore certains. D'ailleurs, dans l'hémisphère Nord, la Terre est un peu plus proche du Soleil l'hiver que l'été. Et l'hiver en Argentine correspond toujours à l'été en France.

## *Grande Lune deviendra petite*

*– Une résonance aurait-elle pu modifier cette inclinaison de l'axe de rotation de la Terre ?*

– Sans aucun doute. Et avec d'importantes répercussions. S'il avait été incliné de 70 ou 80 degrés, d'énormes variations de température annuelles nous auraient affectés. Les pôles, comme l'équateur, auraient pu connaître successivement la neige et la canicule. Une telle amplitude de variations n'aurait pas été très favorable au développement de la vie.

*– Je ne comprends toujours pas ce que vient faire la Lune dans cette histoire.*

– En tournant autour de la Terre, la Lune, tel un volant d'inertie ou un gyroscope, a stabilisé l'inclinaison de son axe, un peu comme un funambule qui trouve son équilibre au moyen d'un balancier, sans lequel il tombe. Ainsi, la vie sur Terre aurait pu être favorisée par la seule présence de la Lune.

– *Elle devait être bien plus grosse dans les premiers temps ?*

– Oui. Nous vivons l'époque où le diamètre apparent de la Lune et celui du Soleil sont identiques. Grâce à cela, nous pouvons admirer de superbes éclipses de Soleil. Il y a 200 millions d'années et plus, la Lune apparaissait beaucoup plus grosse dans le ciel, elle masquait totalement les alentours du Soleil et la belle couronne observée de nos jours lors des éclipses. Dans 200 millions d'années, elle sera plus loin, donc beaucoup plus petite dans le ciel. Le Soleil ne sera jamais totalement masqué par la Lune : adieu, éclipses ! Il est amusant de constater que nous sommes présents sur Terre juste au bon moment dans une histoire de 5 milliards d'années.

– *Je crois que je vais regarder la Lune autrement. Décidément, l'apparition de la vie n'a tenu qu'à un fil. De funambule.*

– Oui. Il a fallu que la Terre ait eu une masse appropriée, à la bonne distance d'une étoile célibataire, ni trop grosse ni trop petite, et qu'elle soit entourée d'une compagne fidèle…

SCÈNE 3

# Le ciel de la Terre

Les pieds sur Terre, la tête dans les étoiles, nous regardons l'environnement de notre planète comme on regarde à la fenêtre. C'est important pour mieux la connaître à condition de ne pas prendre les constellations pour des lanternes.

## *Le satellite qui se lève à l'ouest*

– *Depuis les temps les plus reculés, les hommes ont cherché dans le ciel des réponses magiques à leurs angoisses. Le paysage céleste que nous connaissons est-il spécifique de la Terre ? Ou bien, à peu de chose près, voit-on la même chose dans tout le système solaire ?*

– En ce qui concerne les étoiles, elles sont si loin que le spectacle qu'elles nous offrent est le même vu de la Terre, de Mercure ou de Neptune. Mais, grâce aux satellites et au Soleil, chaque planète a son ciel. Le Soleil paraît vingt fois plus petit vu de Neptune et deux fois plus gros depuis Mercure. Nous avons vu que, au cours du temps, la Lune, en s'éloignant, a changé de dimension apparente. Mars a deux satellites, mais tout petits. L'un des deux, Phobos, est plus proche de la planète que l'orbite synchrone. Il tourne donc plus vite autour d'elle que celle-ci ne tourne sur elle-même.

Résultat : Phobos se lève à l'ouest et se couche à l'est. Si les Martiens avaient existé, vous imaginez leur mythologie, avec un corps qui semble tourner à l'inverse des autres ! Et sur Mercure, dont l'orbite est excentrique, on verrait le Soleil se déplacer lentement quand il a une taille apparente relativement petite et qu'il est éloigné de la planète et, au contraire, traverser le ciel à toute vitesse quand il est plus gros et plus proche…

– *Les astrologues se seraient régalés !*

– La carte du ciel n'est, pour eux, qu'un accessoire artificiel, comme les lignes de la main. Tout leur est bon pour alimenter le besoin d'irrationnel des êtres humains. Ils en sont restés à la vision du ciel plat des Babyloniens d'il y a 4 000 ans. Toutes les forces du monde physique dépendent de la masse et de la distance des corps concernés, notion qui leur est totalement étrangère. D'ailleurs, si la Terre avait été perpétuellement couverte de nuages, comme Vénus, les tenants d'une pensée magique auraient, tels les augures et les aruspices, continué à prévoir l'avenir dans le vol des oiseaux ou le foie des animaux. En réalité, l'influence des astres sur nous est bien connue. Elle se transmet par l'intermédiaire de quatre forces fondamentales. Nous avons déjà cité les effets de marée dans nos relations avec la Lune. On peut aussi parler du rôle du Soleil.

## *Sous le Soleil de Satan*

– *Eh bien, parlons-en !*

– Passons sur ses effets bien connus : il nous apporte chaque jour lumière et chaleur. Sans lui, nous ne serions pas en vie.

Ses orages provoquent des aurores boréales ou australes. Ses caprices perturbent les émissions radios. Le vent solaire nous frappe sans cesse, mais nous sommes heureusement protégés par un bouclier efficace qui entoure la Terre et que les astronomes appellent la magnétosphère.

– *En quoi consiste ce vent ?*

– Le Soleil nous bombarde en permanence de particules de haute énergie. Heureusement pour nous, le champ magnétique terrestre détourne ce vent et nous protège. Mais en prenant l'avion ou en se rendant dans les régions polaires, la protection est plus faible. Par exemple, un trop grand nombre de voyages en Concorde pourrait augmenter les risques de cancer. Un membre d'équipage ayant régulièrement survolé le pôle prend autant de risques qu'un fumeur. Dès que l'on sort du cocon protecteur, comme le font les spationautes, le danger est réel, et le risque génétique n'est pas négligeable : il vaut mieux avoir des enfants avant de voler trop souvent. Si une éruption solaire importante avait lieu au cours d'un voyage interplanétaire, le flux de particules reçu par les passagers pourrait endommager de nombreuses cellules et mettre leur vie en danger, s'ils n'étaient pas protégés.

– *Cela ne s'est encore jamais produit ?*

– Non. Les vols lunaires ont eu lieu à un moment où le Soleil était relativement calme ; la seule éruption de la période s'est produite entre deux vols. L'aller-retour Terre-Lune ne dure que quelques jours et peut être programmé au bon moment. Un voyage vers Mars est beaucoup plus délicat, car il y a de bonnes chances qu'un orage éclate au cours des deux ou trois ans de la mission.

– *Toutes les planètes produisent-elles ainsi un champ magnétique protecteur comme notre Terre ?*

– Ce n'est pas le cas de la Lune. En revanche, pratiquement toutes les planètes ont développé une magnétosphère, mais ces couches protectrices sont bien différentes les unes des autres. Leur comparaison est très utile pour mieux les connaître.

– *Le Soleil a-t-il d'autres tours dans son sac ?*

– Il joue un rôle important dans l'évolution du climat. Il n'y a pas très longtemps que l'idée d'un lien entre les variations de la luminosité du Soleil et la météorologie est apparue. Mais nous sommes loin d'avoir compris les mécanismes en jeu.

– *D'autres astres jouent-ils un rôle ?*

– Bien sûr, des particules de haute énergie sont émises en permanence aux quatre coins de l'Univers par les astres les plus violents, et la Terre est sans cesse bombardée par ce que les astronomes appellent les rayons cosmiques. Avant de construire des accélérateurs de particules, les physiciens ont utilisé ces rayons cosmiques pour sonder la structure intime de la matière. Ils reviennent actuellement à ces observations. Par ailleurs, des météorites tombent sans cesse sur Terre…

### *Les forces de l'Univers*

– *Quel est le rôle des quatre grandes forces ?*

– Les tentatives pour mettre en évidence une cinquième force ou même une sixième se sont toutes soldées par des échecs. Le monde physique est donc gouverné par quatre forces fondamentales. L'interaction forte et l'interaction faible agissent à petite échelle. Elles assurent la cohésion de la matière et pilotent les réactions thermonucléaires au cœur des étoiles. Ce sont des forces à très courte distance. Les forces électromagnétiques qui gouvernent les courants électriques et les champs magnétiques jouent un grand rôle dans les étoiles et dans le milieu interstellaire. Ces trois premières forces sont à trop court rayon d'action pour servir de vecteur à la moindre influence sur nous. Enfin, les forces de gravitation sont primordiales à grande échelle. Elles gouvernent le mouvement des astres, les effets de marée, l'expansion de l'Univers… Mais l'influence gravitationnelle directe d'un astre sur un être humain est extrêmement faible, comparée à celle de la Terre. L'attraction de la Terre nous maintient à sa surface. Celle de la Lune, l'astre le plus proche, est responsable des effets de marée. Quant aux autres planètes, elle est si faible qu'on arrive à peine à la mesurer.

– *Les astres n'ont donc guère d'influence sur nous.*

– Si ! Toute l'histoire humaine aurait été différente sous un ciel perpétuellement nuageux. Non seulement il a été source d'inspiration pour les poètes et les scientifiques, mais il a, de tout temps, été un guide pour les explorateurs et les hommes en quête de nouvelles frontières. C'est l'observation du ciel qui a fait naître les idées d'Aristote, de Démocrite, de l'école de la pensée rationnelle en Grèce. Newton a trouvé ses lois grâce à la Lune…

– *Est-ce que la vie aurait été possible sous un plafond sans Soleil ?*

– Bien sûr. Il pourrait y avoir un ciel comme on en a souvent : couvert, mais pas sans lumière. Le Soleil serait là, il apporterait ses effets bénéfiques, mais on ne le verrait pas directement.

*– C'est vrai que si la Lune n'avait pas été si proche, on n'aurait peut-être pas imaginé de voyager dans l'espace.*

– Et n'oubliez pas que dans le passé la navigation se faisait aux étoiles. Ce sont elles qui guidaient les nomades dans les déserts et les marins à travers les océans. L'observation du ciel a été essentielle dans l'histoire des hommes. Des tribus anciennes au monde moderne, elle a toujours été à la base de leurs convictions philosophiques et de leur vision du monde. De nos jours, étudier les planètes et les explorer est une manière efficace de mieux connaître la Terre.

*– Quelles informations intéressant directement la Terre peut nous apporter l'étude des autres planètes ?*

– Une nouvelle science vient de naître : la planétologie comparée. Comme on ne peut ni chauffer, ni refroidir la Terre, ni changer sa composition pour étudier son comportement, on la compare à des planètes plus chaudes ou plus froides, plus petites ou plus grosses... Les applications sont nombreuses, de l'étude du climat à celle des volcans, en passant par la météorologie. Nous aimerions comprendre ce qui peut menacer notre vie sur Terre et connaître les fragiles équilibres qui nous permettent d'exister. Nous aimerions savoir si le trou d'ozone ou l'effet de serre vont évoluer dans le bon sens ou non.

*– Mais comment les autres planètes peuvent-elles nous apporter des informations sur l'effet de serre sur Terre ?*

– Il s'est emballé sur Vénus. Aujourd'hui, à la surface, tout est écrasé par une pression d'une centaine d'atmosphères, et la température dépasse 400 degrés... Une fournaise ! Sur

Mars, l'effet de serre s'est arrêté, les températures minimales sont inférieures à moins 143 degrés... La Terre se trouve entre les deux. L'étude de deux cas extrêmes est bien utile pour comprendre le rôle des paramètres physiques les plus importants. L'effet de serre est nécessaire ; sans lui, la Terre serait trop froide. Mais s'il devient trop fort, la vie peut disparaître. Nous souhaitons que le réglage très fin qui règne en ce moment ne soit pas bouleversé et nous aimerions savoir ce qui peut le remettre en cause.

### *La vie sur Mars*

– *Avant le refroidissement, la vie a-t-elle pu exister sur Mars ?*

– Peut-être. Pour le savoir, il faudrait envoyer des géologues et chercher d'éventuels fossiles dans le sol. De nos jours, la température et la pression sur Mars interdisent la présence d'eau liquide pendant plusieurs jours et on ne détecte de l'eau que sous forme de glace ou de vapeur. L'observation de lits de rivières asséchées à la surface et la mesure de leur âge attestent de la présence d'eau liquide il y a plus de 3 milliards d'années, au moment où la vie apparaissait sur Terre. L'atmosphère martienne a donc changé depuis.

– *Il faisait suffisamment chaud pour que la vie apparaisse ?*

– Oui. En ce temps-là, température et pression permettaient que de l'eau liquide coule.

– *Est-ce que cela a duré longtemps ?*

– Assez pour que se forment des rivières qui ont creusé des lits bien marqués, avec des méandres.

– *Tout ceci s'est arrêté parce que la planète n'était pas assez massive ?*

– Nous aimerions savoir comment cela s'est passé, mais, à cause de la masse relativement faible de Mars, des atomes s'évaporaient sans cesse. Savoir si la vie est apparue ou non, et, si oui, étudier comment elle s'est éteinte devrait nous apporter des renseignements précieux sur notre propre histoire.

– *Récemment, on a annoncé la découverte de météorites venues de la planète rouge qui porteraient des traces de vie.*

– Oh, il faut être très prudent ! Lorsqu'un corps assez gros heurte la surface de Mars ou de la Lune à vive allure, il creuse un très grand cratère et provoque une explosion tellement puissante que des cailloux peuvent échapper à l'attraction de la planète et tourner autour du Soleil. Ensuite, les interactions gravitationnelles avec les autres corps du système solaire peuvent les placer sur des orbites telles que, un jour, l'un d'entre eux heurte la Terre. Il n'est donc pas impossible que des cailloux soient directement venus de Mars, de la Lune ou d'ailleurs. Quelques dizaines semblent bien provenir de Mars à la suite d'un impact, mais l'annonce de formes de vie très primitive en leur sein est prématurée. Une réponse claire ne viendra qu'en allant chercher sur place. Si la vie est effectivement apparue sur Mars, cela signifierait qu'elle peut se développer dès que les conditions que nous avons identifiées sont réunies et qu'elle est probablement très répandue dans l'Univers. Si, au contraire, elle n'est pas apparue, nous pouvons nous demander s'il ne nous manque pas un maillon important pour comprendre comment elle peut naître sur une planète.

– *Tombe-t-il beaucoup de météorites ?*

– Plusieurs dizaines de milliers de tonnes de matériau bombardent la Terre chaque année. Mais une grande partie se désintègre en pénétrant dans l'atmosphère. Les musées ont rassemblé quelques milliers de météorites ramassées aux quatre coins du globe depuis des siècles. Par contre, les poussières célestes qui atteignent la surface ne se différencient guère, à l'œil nu, des terrestres et elles peuvent même terminer leur voyage dans le sac d'un aspirateur. Pour en récolter, les scientifiques doivent aller au fond des lacs des régions polaires où la glace les conserve et évite que le vent ne les emporte.

*– À quoi nous servent ces météorites ?*

– Contemporaines, pour la plupart, de la naissance de la Terre, elles sont très utiles pour nous permettre de reconstituer les conditions qui régnaient au début, et mieux comprendre notre passé. Elles ont même eu une influence sur notre histoire industrielle puisque les premiers objets en fer fabriqués par les hommes, tels que les armes de certains princes, ont utilisé comme matière première des météorites ferreuses, bien avant l'extraction du minerai de fer.

## *Bolides spatiaux*

*– Y a-t-il eu, dans le passé, des chocs avec des météorites aussi importants que ceux qui ont creusé les grands cratères de la Lune ?*

– Bien entendu. Durant le premier milliard d'années, le bombardement, dans tout le système solaire, était beaucoup plus intense qu'aujourd'hui. Depuis, il se poursuit à un moindre rythme. La Terre est aussi mitraillée que la Lune et les autres corps du système solaire. Mais l'activité géologique et l'érosion par l'atmosphère effacent rapidement les cicatrices. Sur Terre, on a recensé près de cent cinquante gros cratères. Et de nouveaux sont découverts chaque année.

– *Pourquoi les bolides de grande taille n'éclatent-ils pas en morceaux en franchissant la limite de Roche ?*

– Il faudrait pour cela qu'ils possèdent une taille d'au moins 200 ou 300 kilomètres. Imaginons qu'un corps de 1 000 kilomètres se rapproche de la Terre. En deçà des 18 000 kilomètres, il se fragmenterait. Il n'exploserait pas : il se fissurerait lentement, se déchirerait. La vitesse d'arrivée est si grande – plusieurs kilomètres par seconde – que les morceaux n'auraient pas le temps de se séparer de manière significative. Certains cratères d'impact terrestres, très érodés, mesurent plus de 100 kilomètres de diamètre ! Le Meteor Crater, bien connu des touristes qui arpentent le désert d'Arizona, mesure 1,2 kilomètre de diamètre. Or, il a été créé par un corps dont la taille était de l'ordre de quelques dizaines de mètres. La dimension d'un cratère dépend de l'énergie de l'impact.

– *Et celle-ci dépend de la vitesse ?*

– Oui. Elle varie, en gros, de 5 à 70 kilomètres à la seconde et elle joue un rôle aussi important que la taille du bolide.

– *La menace d'une grosse météorite reste-t-elle réelle aujourd'hui ?*

– Certainement. Mais il n'y a aucune raison de s'inquiéter dans l'immédiat. Il faut compter en millions d'années et en millions de mètres carrés pour avoir une probabilité de recevoir une météorite de grande taille. Un jour, un nouveau bolide géant heurtera la Terre, mais, pour nous, l'événement n'aura pas la même importance selon sa date.

– *Pourquoi ?*

– Dans l'avenir, l'homme sera sans doute capable de parer à ce genre de catastrophe. Déjà, les militaires américains, privés d'ennemi après l'effondrement de l'Union soviétique, proposent de repérer les corps célestes qui risquent de heurter la Terre.

– *Mais comment se protéger d'un impact catastrophique ?*

– Il existe un programme fort sérieux qui consiste à répartir à la surface du globe quelques dizaines de télescopes géants qui observeraient en permanence le ciel dans toutes les directions et recenseraient toutes les menaces potentielles. En y consacrant les moyens de calcul et d'observation nécessaires, la liste de tous les corps qui vont s'écraser sur notre sol au cours des millénaires à venir devrait être disponible dans trente ou quarante ans. Si un bolide capable de faire disparaître la vie sur Terre est annoncé, il devrait rester du temps pour réagir, c'est-à-dire pour développer une technologie capable de le dévier à temps. L'homme est peut-être apparu sur Terre grâce à un impact colossal qui lui a laissé le champ libre en tuant les dinosaures, il n'a pas envie que la même histoire se reproduise.

## *Chocs de voies lactées*

– *Rien ne semble pourtant plus calme qu'un ciel étoilé. Il est difficile de croire qu'il cache tant de menaces.*

– Parce que la vie d'un homme est si courte par rapport à celle du monde ! De la même manière que les roses ne voient pas mourir leur jardinier, les hommes voient toujours le même ciel de l'enfance à l'âge adulte. L'Univers semble immuable, alors qu'il est extrêmement violent et agité. De gigantesques bouffées de gaz sont expulsées lors d'éruptions colossales, des étoiles explosent, des astres entrent en collision, des galaxies se heurtent. Ainsi, la Voie Lactée est en train d'avaler le Grand Nuage de Magellan, bien visible dans l'hémisphère Sud. La rencontre aura lieu dans quelques centaines de millions d'années, et toutes les étoiles de notre galaxie en seront agitées.

– *Dans l'avenir, la Voie Lactée apparaîtra donc plus dense ?*

– Mieux : dans 2 milliards d'années, deux voies lactées barreront le ciel !

– *Deux voies lactées ?*

– Oui. Andromède, une de nos proches voisines, va, elle aussi, entrer en collision avec notre galaxie. Sa lumière, que nous recevons aujourd'hui, est partie il y a 2 millions d'années, au moment où l'homme apparaissait sur Terre.

– *Elle aussi ! Mais comment deux galaxies peuvent-elles se rapprocher alors que l'Univers est en expansion et que tous les objets s'éloignent les uns des autres ?*

– L'expansion est notable à beaucoup plus grande échelle. Ce mouvement global n'empêche pas des mouvements locaux. Malgré l'expansion de l'Univers, je peux me rapprocher de la dame de mon choix si elle en est d'accord. De même, la rencontre d'Andromède avec la Voie Lactée est un mouvement local à l'échelle de l'Univers.

– *Cela provoquera-t-il une catastrophe ?*

– Nullement. Une galaxie contient beaucoup de vide. Les distances sont de plusieurs années-lumière entre les étoiles. Deux galaxies peuvent s'interpénétrer sans que les étoiles ne se touchent. Seuls les nuages de gaz entrent en collision.

## *Cherche Terre désespérément…*

– *Est-ce que ces perturbations vont donner naissance à de nouvelles étoiles ?*

– Absolument ! Le spectacle sera superbe : quand les deux voies lactées vont se fondre, une flambée de jeunes étoiles illuminera le ciel ! Les collisions de galaxies sont très fréquentes dans l'Univers. Elles se déforment sans cesse, et de nouveaux mondes apparaissent à cette occasion.

– *Certaines étoiles auront peut-être des planètes…*

– … et y en aura-t-il une semblable à la Terre ? Des milliers de milliards d'étoiles peuplent chaque galaxie, elles-mêmes au nombre de plusieurs milliers de milliards. Sur de telles quantités, il serait bien étonnant que notre petit monde n'ait pas ici ou là quelques sosies. J'ai tendance à imaginer que des systèmes semblables au nôtre doivent exister quelque part. Mais la diversité règne en maître dans l'Univers. Il doit certainement aussi exister une infinité de mondes très différents. Les planètes que l'on découvre actuellement ne ressemblent pas du tout à celles de notre système solaire. Les gros Jupiter proches des étoiles semblent plutôt s'apparenter à des étoiles doubles dont l'une n'aurait pas atteint la masse critique pour allumer le feu nucléaire. Ils interdisent en tout cas à une éventuelle Terre de se trouver à la bonne distance de l'étoile pour que la vie s'y développe. Ce n'est pas là qu'il faut regarder pour trouver nos semblables.

– *Pourquoi ?*

– Si une « Terre » était apparue, à la bonne distance de l'étoile, la présence, à proximité, d'une planète géante, aurait créé des perturbations gravitationnelles si fortes que cette Terre serait partie. Il vaut mieux regarder ailleurs.

– *Regarder où, alors ?*

– Si, depuis l'amas d'Hercule, quelqu'un avait cherché une planète susceptible d'abriter la vie, il n'aurait sûrement pas regardé du côté du Soleil qui est à la périphérie de la Voie Lactée. Il aurait en priorité exploré les parties centrales de la galaxie, plus riches et plus brillantes. Si, par extraordinaire, une mission d'exploration s'était approchée du système solaire, elle aurait tout d'abord repéré quelques objets intéressants : le brillant Soleil ou même Jupiter ; Saturne, Neptune, qui sont grosses et possèdent des beaux anneaux, sont entourées de satellites, ont de l'hydrogène, de l'hélium... Bref, ces objets célestes à part entière auraient attiré l'attention bien avant les petits débris qui tournent plus près de l'étoile, si petits qu'ils n'ont pas été capables de retenir l'hydrogène, et qui n'ont ni anneaux ni système complet de satellites. Et pourtant, c'est sur l'un d'eux, le troisième en partant du Soleil, que se trouve le trésor : une mince couche d'atmosphère hospitalière et de l'eau liquide...

ACTE 2

# *La planète vivante*

SCÈNE 1

# Les années furieuses

Les premiers âges ne sont pas de tout repos. La Terre éructe des flots de lave, ouvre et ferme des océans, fabrique des continents. La vie qui réussit à naître dans cet enfer se fait souvent massacrer.

## *Un océan brûlant*

– *La Terre est donc venue au monde il y a 4,5 milliards d'années. Et la mer ?*

– **Paul Tapponnier** : L'océan est sans doute apparu très rapidement.

– *Comment le sait-on ?*

– Grâce aux zircons, des cristaux presque indestructibles qui font office, pour les bijoutiers, d'ersatz de diamants. Les zircons ont la particularité de croître par couches successives, comme les oignons, mais au cœur de ces minéraux, on trouve la mémoire de leur toute première cristallisation. On sait les dater, car ils contiennent de l'uranium radioactif qui se désintègre très lentement. Certains sont extrêmement vieux : on en a récolté en Australie qui ont 4,3 milliards d'années. Or, en analysant leur contenu géochimique, on a découvert qu'après leur formation ils avaient transité par un milieu aquatique, puis avaient été replongés dans les profondeurs de la Terre, avant de revenir de nouveau à la surface. Moins de 300 millions d'années après la naissance de la planète, il existait donc déjà un océan, dont les zircons, après un recyclage dans le manteau, ont conservé la signature : un rapport entre deux formes particulières de l'oxygène.

– *Est-ce que ce premier océan recouvrait toute la planète ?*

– On ne sait pas. Presque tout, sans doute : les grands continents se formeront assez tardivement dans cette histoire.

– *D'où venait l'eau ?*

– Là non plus, on n'est sûrs de rien. Une grande partie était clairement d'origine interne. Le dégazage de la planète rejetait énormément de vapeur d'eau dans l'atmosphère. Mais il y avait aussi une multitude de comètes, des boules de glace, qui pleuvaient alors sur la stratosphère.

– *De l'eau avec des glaçons...*

– Ils ont eu vite fait de fondre ! Bien avant d'arriver dans l'océan, qui devait d'ailleurs être chaud. Très chaud.

– *Comme les mers tropicales actuelles ?*

– Bien plus chaud que ça ! Au début, il s'agissait sans doute d'une mer qui se serait mise à bouillir si la pression atmosphérique n'avait pas été bien plus élevée qu'aujourd'hui. Puis, au cours des centaines de millions d'années qui ont suivi, elle s'est peu à peu refroidie.

– *Et, en dessous, qu'y avait-il ?*

– La croûte terrestre en formation. Comme de la peau sur du lait chaud. Au plus profond de la Terre étaient tombés les éléments les plus lourds, tels le fer et le nickel, qui se sont condensés pour former le noyau. Autour s'est constitué le manteau, fait de silicates de fer et de magnésium, dont le principal a été baptisé « olivine ». Il s'agit d'une jolie gemme transparente, verte, de la famille des péridots. Une pierre semi-précieuse. Si vous allez vous promener sur l'Etna, le Vésuve, à Hawaii ou sur nombre de volcans en activité, vous pourrez trouver des petits nodules de cristaux verts, ravissants. Ce sont des morceaux du manteau.

## *Le plus gros joyau du monde*

*– Notre Terre précieuse est donc un bijou ! Pourquoi recrache-t-elle encore aujourd'hui des morceaux d'elle-même ? Pourquoi y a-t-il des éruptions volcaniques ?*

– Le manteau est très chaud : 5 000 degrés à 2 900 kilomètres de profondeur. Jadis, il l'était bien plus encore. Or, la surface est froide : quelques dizaines de degrés seulement. Il y a donc plusieurs milliers de degrés d'écart entre le bas et le haut. Dans une situation de ce genre, le matériau échange sa chaleur en se déplaçant. Autrement dit : ce qui est chaud, donc léger, monte ; ce qui est froid, plus dense, descend. Dans l'atmosphère, lorsque dans un ciel d'été orageux vous voyez monter un cumulo-nimbus, il s'agit d'air chaud et humide, plus léger que l'air froid alentour, qui va s'épanouir en haute altitude, un peu comme un champignon. C'est un phénomène connu dans tous les fluides, on appelle ça la convection.

*– Vous voulez dire que la belle olivine est liquide ?*

– Non, pas liquide comme l'eau. Lorsque l'on s'enfonce, on ne trouve de liquide véritable que dans la partie externe du noyau qui est constituée de fer et de nickel en fusion. Tout au centre de la Terre, la graine est solide : malgré la chaleur torride, le fer a cristallisé à cause de la pression colossale. Le manteau, lui, n'est ni solide ni liquide ; il est mou. Il peut couler lentement, un peu comme du fer rouge. Et ce matériau-là est sans cesse brassé par les mouvements de convection.

*– Donc, la matière chaude monte, se refroidit, redescend, se réchauffe, remonte...*

– Voilà. C'est une machine thermique. À l'époque dont nous parlons, c'est-à-dire 200 millions d'années environ après la naissance de la planète, celle-ci était très vivante : les températures internes étant infernales, les mécanismes de convection étaient très actifs.

*– Le volcanisme était alors plus intense qu'aujourd'hui ?*

– Sans aucun doute. Les processus devaient être analogues à ceux que l'on observe sous les océans actuels : de grandes chaînes volcaniques sous-marines éjectant des quantités fantastiques de matière... Il devait y avoir des crevasses, des fissures ouvertes crachant leur lave sur des milliers de kilomètres. Et tout cela fabriquait de la croûte, à peu près semblable à la croûte océanique actuelle. Mais à des vitesses bien plus grandes qu'aujourd'hui, parce que la vigueur de la convection entraînait un volcanisme extrêmement dynamique.

*– Qu'est-ce que la croûte océanique ?*

– Les dorsales, ces grandes chaînes de volcans sous-marins, vomissent sans cesse de la matière. C'est le manteau qui fond en remontant, donnant des laves noires, les basaltes. Celles-ci s'écoulent sur le fond et, en refroidissant, forment le plancher océanique. Qui n'est donc que la partie supérieure d'une croûte rigide mais fine : de 6 à 10 kilomètres seulement.

## *Un œuf dur au Tibet*

– *Attendez… Comment le manteau peut-il fondre en remontant, alors que la chaleur diminue ?*

– En arrivant vers la surface, la température baisse, c'est vrai, mais la pression aussi. Or la frontière physique entre l'état solide et l'état liquide dépend des deux facteurs. Comme l'ébullition. Si vous montez au Tibet, vous aurez du mal à faire cuire un œuf dur : à 5 000 mètres, la pression est nettement moins forte qu'au niveau de la mer, et l'eau bout vers 70 degrés !

– *Et les continents ? Ils sont constitués de croûte océanique plus épaisse ?*

– Pas du tout ! Ils viennent du recyclage de la croûte océanique primitive. Les continents ne se sont donc formés que dans un deuxième temps. En s'éloignant de la dorsale, la croûte, mais aussi les cent premiers kilomètres du manteau qui sont en dessous formaient une plaque rigide : la plaque océanique. En refroidissant, celle-ci devenait plus lourde. Elle pouvait s'enfoncer, retourner dans le manteau fluide, qui l'engloutissait. Mais, entre-temps, la croûte s'était altérée. Durant quelques centaines de millions d'années, elle avait été en contact avec l'eau, extrêmement acide à l'époque, qui, entre autres choses, avait changé sa composition chimique. Un matériau, différent de celui qui avait été éjecté, plongeait dans les profondeurs, où il était de nouveau soumis à des températures et à des pressions infernales. Ainsi, une sorte d'usine chimique à différencier le manteau s'était mise en route.

– *Et que produisait votre usine ?*

– Du magma et des laves blanches, comme les granodiorites, et aussi des granites et des rhyolites, dans lesquelles se trouvent nos fameux zircons. Les basaltes de la croûte océanique, gorgés d'eau, refondus dans le manteau et recrachés par les volcans, s'étaient métamorphosés en laves plus visqueuses, donnant des roches nettement plus légères, qui commencèrent à former une croûte continentale. Bien que plus épaisse, puisqu'elle atteignait en moyenne 35 kilomètres, celle-ci flottait.

– *Vous voulez dire que le granite est léger ?*

– Comparé au basalte, oui. Et ce mécanisme produisait des laves de plus en plus riches en éléments légers.

– *C'est donc le contraire des étoiles qui fabriquent des éléments de plus en plus lourds.*

– Oui. Les continents ne sont que l'écume de la Terre.

– *Et tout ce processus se poursuit de nos jours ?*

– Bien entendu !

– *Donc, la croûte terrestre, la coquille de l'œuf en somme, est constituée de deux matériaux différents, de densité et d'épaisseur différentes.*

– C'est une caractéristique de la planète Terre : deux grands ensembles de régions, deux plateaux, avec chacun des altitudes moyennes très différentes. Les surfaces continentales se trouvent, *grosso modo*, au niveau de la mer, et les plaines abyssales se situent à peu près à 5 000 mètres de profondeur.

Elles correspondent à la croûte continentale et à la croûte océanique.

## *À l'origine était le jardin d'Hadès*

– *Comment sont apparus les continents dans cet Univers aquatique ?*

– Au début, des chapelets d'îles ont dû émerger, comme on en voit encore aujourd'hui : Caraïbes, Aléoutiennes, Mariannes, etc. De grands volcans dépassaient du niveau de l'océan. Comme il y avait des pluies et des vents violents, ils ont été soumis à une érosion intense. Cela fabriquait des sédiments qui ont peu à peu accru la surface des îles.

– *Le spectacle devait être dantesque.*

– On peut dire, en effet, qu'il s'agissait d'une sorte d'enfer volcanique marin. Avec des énergies formidables mises en jeu. D'origine interne, à cause de cette boule très chaude, mais aussi d'origine externe : un océan bouillant, parcouru de courants que l'on a du mal à imaginer. Et aussi une atmosphère torride, dense et très turbulente. Elle était constituée en grande partie d'azote et contenait beaucoup plus de gaz carbonique qu'actuellement, à cause de tous les volcans. Le produit du dégazage volcanique, c'est essentiellement du gaz carbonique et de l'eau. Mais il y avait aussi du méthane et de l'ammoniaque. Dans cet environnement, rien n'était stable. La géographie devait changer à des vitesses incroyables. On a d'ailleurs baptisé ces temps terribles, d'il y a 4 milliards d'années, « époque hadéenne », d'après Hadès, le dieu grec des Enfers.

*– Le paradis terrestre sera donc pour plus tard. N'empêche : c'est bien de ce monde hostile que va naître notre merveilleuse planète bleue.*

– Grâce à l'eau liquide ! La Terre l'a gardée, à la différence de toutes les planètes que nous connaissons. Comme l'a expliqué André Brahic, Vénus a perdu son eau, et Mars en contient, mais sous forme solide. La taille aussi est importante : Mars, trop petite, n'a pas pu retenir son atmosphère, ni conserver suffisamment de chaleur interne. Notre Terre, née dans la violence, a finalement trouvé une stabilité assez extraordinaire : elle a un manteau qui fonctionne en régime permanent, comme un moteur, un océan stationnaire... Et cela parce qu'elle se trouve à la bonne distance du Soleil, avec la bonne masse. Toute une série de coïncidences phénoménales ont fait que notre planète est ce qu'elle est. Un petit peu plus de rayonnement solaire, et l'effet de serre pourrait s'emballer, la transformant en fournaise. Un petit peu moins, ou une distance un tout petit peu plus grande du Soleil, et elle se transforme en boule de glace. On sait depuis peu que cela s'est déjà produit dans le passé.

*– La Terre se refroidit régulièrement ?*

– Lentement, mais sûrement. Aujourd'hui, le basalte arrive en surface à une température avoisinant les 1 100 degrés. Mais, en ces temps-là, il se fabriquait aussi des laves étranges que l'on n'observe plus de nos jours. En tout cas, qui n'ont plus été produites depuis plusieurs dizaines de millions d'années. On les appelle *komatéïtes.* Il s'agit d'olivine fondue. Or l'olivine ne commence à fondre qu'à plus de 1 700 degrés. Il régnait donc dans les profondeurs une température nettement plus élevée qu'aujourd'hui.

*– Revenons à notre histoire. Les océans se sont formés, des embryons de continents sont apparus sous forme d'arcs insulaires, comment ces derniers se sont-ils développés ?*

– Il va falloir parler aussi de la vie…

## *Drôles de vies*

*– Déjà ? Elle n'était pas encore là, quand même !*

– Je serais moins catégorique. Nous n'avons aucune certitude. Dans cette planète hyperactive, ce bouillon de gaz divers, cette chaleur, cette énergie qui ne s'épuisait pas, il est probable que, dès les minutes initiales, il y ait eu toute la soupe chimique nécessaire à la fabrication de la vie. Or, vous savez que l'on a trouvé des êtres vivants archaïques qui n'avaient besoin ni de photosynthèse ni de respiration au sens où nous l'entendons aujourd'hui. Il existe encore, à 4 000 mètres de profondeur, sous l'océan Pacifique, le long de l'axe volcanique sous-marin, de très étranges animaux. Ce monde des abysses constitue l'une des découvertes les plus spectaculaires de ces trente dernières années. Dans les eaux sulfureuses, alimentées par des sources chaudes, et que la lumière du soleil n'atteint pas, vivent des bactéries qui s'alimentent de soufre. Des mollusques se nourrissent de ces bactéries. Ce sont des vers de plusieurs dizaines de centimètres aux couleurs flamboyantes. Il y a là des coquillages, des sortes de crabes, et même de petits poissons carnassiers, aveugles, qui dévorent tout ça.

*– Ne peut-il s'agir de formes de vie plus récentes qui auraient trouvé une niche écologique et réussi à s'adapter à ce milieu ?*

– Cela est sans doute vrai pour les poissons et les organismes évolués. Mais en ce qui concerne ces bactéries de milieux extrêmes, très chauds, délétères, sans oxygène, tout est possible bien sûr, mais les probabilités qu'elles soient là depuis les débuts sont assez grandes. Car c'est précisément dans ces lieux, au fond des océans actuels, le long des chaînes volcaniques, que l'on peut se faire une petite image de ce qui devait se passer dans l'océan originel. Il n'est donc pas impossible que l'usine de la vie ait démarré là, avant d'évoluer vers des niches un peu plus froides, un peu plus calmes où elle s'est épanouie. Et où la fameuse algue bleue a inventé la photosynthèse chlorophyllienne.

– *À quelle époque la vie commence-t-elle à laisser son empreinte ?*

– Une seule certitude : il y a 3,5 milliards d'années, les algues bleues étaient déjà là. Mais depuis combien de temps ?

## *Montagnes de squelettes*

– *Cela signifie que, en quelques centaines de millions d'années seulement, il s'était déjà produit un sérieux refroidissement.*

– Effectivement, la chaleur interne avait déjà décru. Quant à la chaleur externe, c'est-à-dire la température qu'il fait dehors, elle dépend de l'effet de serre et, par conséquent, elle est essentiellement liée aux teneurs en méthane et, surtout, en gaz carbonique. Ces gaz laissent passer le rayonnement solaire, mais retiennent le rayonnement infrarouge en provenance de la Terre. Or, le processus le plus efficace permettant de diminuer la teneur de l'atmosphère en $CO_2$, c'est la vie.

– *Est-ce que le calcium ne fixe pas, lui aussi, une grande partie du gaz carbonique ?*

– Si, bien sûr. Mais la plupart des calcaires récents, c'est-à-dire les roches formées de carbonate de calcium, sont d'origine biologique.

– *Les falaises d'Étretat auraient été édifiées par la vie ?*

– Elles sont entièrement constituées de squelettes. C'est ce qu'on appelle des *coccolites*, des milliards de squelettes de petites bêtes qui ont servi de noyau à la cristallisation. Même chose pour les célèbres falaises des Alpes calcaires, dans le Vercors. Et aussi les calanques. Les calcaires blancs sont des débris de récifs coralliens. Les coraux se fabriquent un squelette calcaire avec lequel ils édifient des constructions fabuleuses. Mélanger le gaz carbonique avec du calcium, c'est une méthode simple et efficace que de nombreux animaux ont trouvée pour se construire des abris protecteurs. Cela va jusqu'à l'échelle microscopique du plancton dans lequel on trouve des minuscules organismes à squelette.

– *Dès les débuts de son histoire, la planète a donc été modelée par la vie. On dit généralement que la Terre est adaptée à la vie, mais c'est en grande partie la vie qui a adapté la Terre à elle-même.*

– Absolument. D'ailleurs une nouvelle science fascinante est en train de naître : la géobiologie, qui tente de relier l'approche géologique et l'approche biologique. Dans nos sciences, ce sera le grand sujet de recherche du XXI^e^ siècle. La Terre a fourni les conditions favorables au développement d'une vie. Celle-ci a ensuite influé sur la planète de façon prodigieuse. Nous nous trouvons désormais dans un système en équilibre : des conditions astronomiques, telles la masse et la distance du Soleil, ainsi que des conditions géologiques particulières, comme le volcanisme modéré et la présence d'eau liquide, qui permettent l'éclosion de la vie, qui, elle-même, maintient notre environnement vivable.

*– La vie semble pourtant bien fragile, face aux forces telluriques !*

– Elle l'est. Montez de 5 000 mètres, il n'y en a quasiment plus, parce que la pression des gaz que l'on respire est insuffisante. Descendez dans les abysses océaniques, il n'y en a pas trop non plus ! La vie est un phénomène pelliculaire lié à la stabilité de ses conditions d'existence. Dès que celles-ci fluctuent un peu, cela entraîne des chambardements inouïs, avec des extinctions massives d'espèces.

## *La rouille des océans*

*– À part la diminution de l'effet de serre, les premières algues bleues ont-elles eu un autre impact ?*

– Oui. L'océan s'est chargé en oxygène, sous forme de gaz dissous. Un événement extraordinaire se produisit alors avec le fer, qui est un élément très stable, l'un des plus importants de l'Univers. Il est présent en grande quantité dans le manteau puisque l'olivine est un silicate de fer et de magnésium.

*– Les deux véhicules de la vie : le magnésium de la chlorophylle pour les plantes, le fer de l'hémoglobine pour les animaux !*

– Curieux, en effet. Mais, après tout, nous sommes faits des mêmes briques que le reste de l'Univers. Il y avait donc dans l'océan, à cette époque, de très grandes quantités de fer, dissous lui aussi. Et, soudain, l'oxygène tout nouvellement produit par les algues bleues s'est combiné au fer, l'a oxydé, pour former de la rouille qui est tombée sur le fond. Brutalement, des dépôts se sont donc formés, que l'on appelle *bifs*, pour *banded iron formations.* Entre 3 milliards et 2,5 milliards d'années, on trouve de curieux gisements où se succèdent couches d'oxyde de fer et couches de quartz. Ou, si vous préférez, couches de rouille et couches de silice. Il en existe beaucoup en Australie, en Afrique du Sud, en Mauritanie...

– *L'oxygène produit par les algues bleues extrayait le fer de l'océan !*

– Et aussi le manganèse, selon le même processus. Les grands gisements de fer et de manganèse mondiaux se trouvent aujourd'hui dans ces formations datant d'une période du Précambrien, où, déjà, la photosynthèse chlorophyllienne fonctionnait de manière intensive.

– *Qu'appelle-t-on Précambrien ?*

– La première des ères géologiques. La plus longue, parce que la plus obscure. Les plus grands repères de la géologie ont été laissés par la vie lorsqu'elle a inventé des squelettes qui ont traversé les âges.

– *Et des coquillages...*

– C'est la même chose. Des squelettes, ce sont des cellules qui cristallisent des minéraux dans l'organisme. Les phosphates de calcium, mais aussi d'autres, comme la magnétite. Saumons, tortues ou oiseaux migrateurs en ont plein le cerveau. Ils l'utilisent pour se diriger. Notre cerveau en contient aussi un peu, mais il en a perdu l'usage en devenant plus performant : il peut désormais utiliser tout un système de références : le Soleil, la Lune, les étoiles...

– *L'apparition du squelette a donc constitué un moment très important dans l'histoire de la Terre.*

– Et dans celle de la géologie ! Car, à partir de là, on suit l'évolution de la planète à travers celle de la vie, dans des conditions acceptables. Avant, c'est le brouillard. On trouve des espèces de concrétions, des machins qu'on ne sait pas interpréter, des trucs qui ressemblent vaguement à d'autres choses.

– *Et les continents ?*

– On retrouve souvent les *bifs* sur des socles continentaux. Cela signifie qu'il y a 3 milliards d'années, il existait déjà des morceaux de continents d'une taille respectable. On observe aussi, entre 3,2 et 2,5 milliards d'années, des changements assez grands dans le fonctionnement interne de la planète. En fait, on pense que la plupart des continents se seraient créés à cette époque-là.

– *De quelle manière ?*

– Il y a 2 milliards d'années, la convection intense du début s'était assagie et organisée en quelque chose de plus simple, de moins bouillonnant. Des morceaux de la coquille solide de l'œuf, que l'on appelle lithosphère, du grec *lithos* qui signifie *pierre*, s'étaient formés. Ils étaient plus grands, plus épais, plus rigides. Sans doute analogues à ceux que l'on voit aujourd'hui.

– *C'est-à-dire ?*

– De nos jours, à la surface de la Terre, on dénombre douze grandes plaques principales : Afrique, Amérique du Nord, Amérique du Sud, Antarctique, Australie, Arabie, Cocos, Eurasie, Inde, Nazca, Pacifique, Philippines. Mais, au tout début, il y en avait peut-être deux cents ! Petites, d'une épaisseur de 10 kilomètres… On sait qu'aujourd'hui l'épaisseur des plaques, c'est en gros 150 kilomètres. Et à partir du moment où une plaque est épaisse et assez étendue, elle s'enfonce beaucoup plus difficilement dans le manteau que des petits fragments…

## *L'enfance des continents*

– *Mais comment est-on passé des chapelets d'îles volcaniques aux continents ?*

– Tant qu'il ne s'agissait que de petites îles, elles disparaissaient et étaient recyclées, donnant de nouvelles roches plus légères. Mais lorsque ces constructions devenaient plus grandes, elles s'enfonçaient difficilement dans le manteau. Des anneaux de croissance volcanique se développaient à leur périphérie, augmentant peu à peu leur surface. Les noyaux continentaux croissaient de manière centrifuge, un peu comme les cernes des arbres. Et ils s'étendaient de plus en plus. Mais ils pouvaient aussi se briser, entrer en collision, se souder les uns aux autres.

– *Ces formations continentales étaient-elles regroupées en un seul lieu ou dispersées sur toute la surface de la planète ?*

– Les noyaux primitifs se sont formés en différents endroits. Les continents comportent généralement un cœur ancien auquel se sont collées des régions plus jeunes. Dans l'ouest de l'Australie, on a trouvé des zircons vieux de 4,2 milliards d'années, mais vers l'est, ils sont plus récents. Même chose pour le continent nord-américain : c'est la région du nord-ouest, Mackenzie et Yukon, qui est la plus vieille. En Asie, c'est le bouclier de l'Angara, au nord du lac Baïkal. Et la plus ancienne région d'Europe, c'est le bouclier fenno-scandien, c'est-à-dire la Finlande et la Scandinavie.

– *Vous disiez que la tectonique des grandes plaques fonctionnait désormais selon des modes que l'on connaît bien...*

– Oui. À partir de 2 milliards d'années, on peut la décrire avec des règles qui nous sont familières. Mais, autrefois, toute cette saga de l'activité interne était encore ponctuée d'événements assez catastrophiques qui se trouvaient à la frontière entre l'évolution géologique et l'évolution biologique.

– *Par exemple ?*

– Eh bien, on sait depuis longtemps qu'il existait des glaciations au Précambrien. La glace est une matière cristallisée capable de couler à l'état solide, en transportant toutes sortes de détritus. Les glaciers arrachent les cailloux aux montagnes, rayent leur lit, laissant des traces et des dépôts caractéristiques. Ce sont de fantastiques agents d'érosion. Or, on retrouve les empreintes de glaciers géants qui, il y a 2,4 milliards d'années, descendaient jusqu'à la mer. Et aussi d'autres, plus tard, autour de 700 millions d'années.

– *D'où venaient-ils ?*

– D'abord, on s'est dit que ces morceaux de continents se trouvaient à l'époque au voisinage des pôles. Actuellement, on rencontre des conditions similaires au Groenland, qui est proche du pôle Nord, ainsi que dans l'Antarctique, où les épaisseurs de glace sont considérables.

– *Qu'entendez-vous par « considérables » ?*

– Vous avez dans l'Antarctique un plateau situé à presque 4 000 mètres d'altitude, alors que le continent est à peu près plat. Ce n'est que de la glace ! Et sur le Canada et la Scandinavie, au maximum glaciaire, l'épaisseur de la calotte était comparable : plusieurs kilomètres. On s'est donc dit que ces régions devaient alors se trouver au pôle. Puis on a fait une très étrange découverte. Immédiatement au-dessus des sédiments glaciaires, se trouvent des calcaires récifaux. Autrement dit, des coraux. Et sur des dizaines de mètres d'épaisseur !

## *Étranges boussoles*

– *Or, les coraux vivent dans les mers chaudes…*

– Exactement ! Dans la zone intertropicale.

– *Les continents auraient dérivé du pôle aux tropiques ?*

– Aux vitesses que l'on connaît et qui ne sont pas supérieures à 10 centimètres par an, cela aurait pris quelque 100 millions d'années. Un temps significatif pendant lequel des dépôts se seraient probablement accumulés. Or, entre les deux couches, il n'y a quasiment rien.

– *L'énigme du froid qui devient chaud !*

– C'était effectivement un grand mystère. On a alors fait une autre découverte tout aussi étrange. Associées aux traces de la glaciation, on a trouvé des *bifs*, ces fameuses couches de rouille. Mais plus jeunes que celles dont nous avons déjà parlé. Que s'était-il passé ? Tout cela était incompréhensible. Les paléomagnéticiens sont alors intervenus.

– *Pardon ?*

– Le paléomagnétisme permet de savoir à quel endroit de la Terre se trouvaient les roches dans le passé.

– *Comment procèdent vos paléomagnéticiens ?*

– La Terre est une dynamo. Son champ magnétique prend

naissance dans le noyau. Il existe des courants très rapides dans ce fer liquide qui se trouve à 3 000 kilomètres sous nos pieds. La convection y est polarisée par la rotation de la Terre. Le mouvement de ce fluide conducteur produit donc un champ magnétique, qui est toujours à peu près calé sur l'axe de rotation de la planète. Et, chose étonnante, la polarité de ce champ magnétique s'inverse souvent.

– *Vous voulez dire que le pôle Nord prend la place du pôle Sud et vice versa ?*

– Les deux pôles restent à leur place. La planète ne bascule pas cul par-dessus tête. C'est seulement la boussole qui se met à indiquer le sud ! Imaginez : la Terre est un aimant. Nous avons tous vu, à l'école, comment une barre d'aimant, placée sous une feuille de papier sur laquelle on a mis de la limaille de fer, dessine ce que l'on appelle les lignes du champ magnétique. Au pôle Nord, les lignes du champ magnétique terrestre plongent sous nos pieds. Vous auriez du mal à y utiliser une boussole : l'aiguille montre le sol. En fait, nous ne regardons nos boussoles que dans le plan horizontal, et on ne voit que la direction du nord. Mais l'aiguille d'une boussole un peu sophistiquée s'incline aussi, plus ou moins, vers le bas. Cette inclinaison varie de 90 degrés, c'est-à-dire la verticale, au pôle Nord, à zéro degré à l'équateur.

– *En France, quelle est l'inclinaison ?*

– Proche de 60 degrés. Donc, si on est capable de mesurer, dans une roche du passé, l'inclinaison du champ magnétique lorsqu'elle a fossilisé celui-ci, on peut savoir précisément où elle se trouvait.

## *La planète boule de neige*

– *Comment un champ magnétique peut-il se fossiliser ?*

– Au moment où une roche se dépose, les cristaux de fer, même infimes, qu'elle contient s'orientent tous dans le même sens, comme des myriades de petites boussoles. Pour les laves, le phénomène a lieu lorsque, en refroidissant, elles passent en dessous d'une température critique, dite de Curie, qui est voisine de 600 degrés.

– *Une fois la roche formée, c'est-à-dire refroidie, ou consolidée, ça ne change plus ?*

– Non. On arrive donc presque toujours à retrouver cette information mémorisée par la roche. Il suffit d'en prélever un morceau, de mesurer l'orientation des petites boussoles, pour savoir à quelle latitude il se trouvait au moment de sa formation.

– *Alors ? Où étaient les continents lorsque les nouvelles* bifs *se sont déposées ?*

– À l'équateur. Conclusion : il y a sans doute eu des calottes glaciaires à l'équateur ! C'est l'hypothèse *snowball.* La Terre boule de neige. La planète entière prise par les glaces.

– *Et cette hypothèse éclaircirait tous les mystères ?*

– À peu près. Un froid terrible. L'océan global s'est recouvert d'une couche de glace atteignant 1 kilomètre d'épaisseur. La photosynthèse s'est donc arrêtée, et l'absorption du $CO_2$ ne s'est plus faite. Petit à petit, l'océan s'est alors appauvri en oxygène. Et le fer craché par les volcans sous-marins n'a plus précipité.

– *Si tout s'est arrêté, comment la machine a-t-elle pu redémarrer ?*

– Il existait toujours, par endroits, des volcans capables de percer la glace et d'exhaler leur gaz carbonique dans l'atmosphère. Après plus d'une dizaine de millions d'années, l'effet de serre a recommencé à jouer, suffisamment fort pour faire fondre la glace. Une fois engagée, la débâcle a été très rapide. Le plancton s'est remis à pulluler. La vie est repartie de façon folle. Très vite, des carbonates bio-géniques se sont déposés sur les dépôts glaciaires. L'océan s'est rechargé en oxygène. De nouveau, le fer dissous dans l'océan est devenu rouille, formant des *bifs*.

– *C'est un scénario fascinant !*

– Oui. Et vraisemblable. En fait, les débats entre les scientifiques portent aujourd'hui sur l'éventualité d'une mince bande d'océan équatorial, qui n'aurait peut-être pas totalement gelé... On identifie quatre ou cinq épisodes *snowball*. Le plus récent précède de peu le passage à l'ère Primaire. Cela donne une idée de l'ampleur des catastrophes climatiques qui peuvent se produire.

– *Pourraient-elles se répéter aujourd'hui ?*

– On n'en sait trop rien. Mais en tout cas, pour l'époque récente, on observe de très grands cycles glaciaires dont la durée est d'environ 100 000 ans. D'abord, les terres de l'hémisphère Nord se couvrent peu à peu de glace. Au bout de 100 000 ans, au moment où le maximum de refroidissement est atteint, les glaces se mettent brutalement à fondre. En quelques milliers d'années seulement. Le niveau des mers remonte de 2 mètres par siècle. Imaginez : en 100 ans, Le Havre et

New York seraient sous les eaux. Donc, le rythme actuel du climat de la Terre, c'est, en gros, 100 000 ans de glaciation, 10 000 ans d'âge interglaciaire, puis de nouveau 100 000 ans de glaciation... Lorsqu'on analyse plus finement la périodicité de ces phénomènes, on retrouve aussi des cycles de 20 000 ans, 40 000 ans et 400 000 ans. Ces phases sont liées à la manière dont notre planète tourne sur elle-même et tourne autour du Soleil. L'orbite terrestre n'est pas un cercle. C'est une ellipse, avec une excentricité assez faible, mais qui varie, et modifie donc la quantité de chaleur au mètre carré reçue du Soleil.

*– Et comment le fait de tourner sur elle-même peut-il avoir une influence ?*

– Regardez tourner une toupie : elle oscille autour de son axe. La Terre aussi. Or, l'inclinaison de l'axe fait changer l'angle sous lequel la planète est frappée par les rayons du soleil. Plus cet angle est faible, plus une même quantité de chaleur se disperse sur une grande surface. Il y a donc moins de chaleur au mètre carré, et la planète se refroidit.

## *En attendant la glaciation*

*– On peut donc prévoir la durée du cycle dans lequel nous nous trouvons ?*

– En ce qui concerne les paramètres orbitaux, oui. La Terre se trouve toujours dans un équilibre précaire entre périodes glaciaires et périodes interglaciaires. Il y a 20 000 ans, nous nous trouvions dans un maximum glaciaire. La calotte qui subsiste sur le Groenland, la terre de Baffin et les îles du Nord du Canada s'étendait alors jusqu'aux Grands Lacs américains. Les glaciers recouvraient la région de Chicago, descendaient l'Hudson jusqu'à New York, dévalaient les Alpes jusqu'à la vallée du Rhône. Et cela, c'était il y a 20 000 ans seulement. Hier ! Le niveau des océans était descendu de 120 mètres à cause de l'eau de pluie stockée dans ces immenses calottes glaciaires. Il n'y avait pas de Manche entre l'Angleterre et la France, Sibérie et Alaska communiquaient. Puis le réchauffement est venu, 7 à 8 degrés en moyenne, qui a fait reculer la glace de plus de 2 000 kilomètres. Notre civilisation humaine s'est alors développée dans un interglaciaire qui a débuté il y a 12 000 ans, et qui est toujours en cours actuellement. Entre 9 000 et 6 000 ans, il y a eu une période encore plus chaude et humide qu'aujourd'hui.

– *Quand la glaciation reviendra-t-elle ?*

– Notre interglaciaire, particulièrement long, est parti pour une trentaine de milliers d'années. Or nous y sommes entrés il y a 12 000 ans…

– *Dans 18 000 ans, il faut donc s'attendre à un coup de froid. C'est beaucoup plus fort que la météo à 5 jours !*

– Attention : ces prévisions ne tiennent pas compte de ce que l'homme est en train de faire à l'atmosphère !

– *Est-ce que les variations orbitales suffisent à expliquer les épisodes* snowball *?*

– Je ne le pense pas. Les variations de luminosité du Soleil peuvent aussi jouer un rôle. Mais il faut avouer qu'il y a encore pas mal de choses qui nous échappent. On connaît le fonctionnement interne de la Terre, qui est continu : convection, volcanisme, etc. On sait que les continents se développaient, que la vie était apparue dans l'océan mondial... Les plaques, de plus en plus grandes, bougeaient de moins en moins vite. Des changements progressifs s'effectuaient, ponctués par quelques événements catastrophiques, qui posent encore des questions. Mais n'oubliez pas que l'on ne soupçonnait même pas leur existence il y a dix ans. Les chercheurs ont encore du pain sur la planche.

SCÈNE 2

# Le temps des métamorphoses

La Terre est toujours pleine d'énergie, mais plus constructive. Elle continue à fabriquer des continents. Et si elle ouvre et ferme des océans, elle crée des montagnes. La vie, qui l'a apprivoisée, doit parfois faire face à des accès de sauvagerie.

## *C'est reparti !*

*– Après 4 milliards d'années agitées, la Terre passe maintenant à une autre époque, l'ère Primaire (qui commence il y a quelque 600 millions d'années). À quoi ressemblait la planète au matin de ce nouvel âge ?*

– **Paul Tapponnier** : La photosynthèse fonctionnait à plein pot. L'atmosphère s'était clarifiée : le ciel était devenu bleu ; le Soleil, la Lune et les étoiles auraient été visibles s'il avait existé des yeux pour les regarder. La mer avait perdu sa teinte rougeâtre pour prendre les couleurs bleue de l'oxygène et verte de la chlorophylle...

*– La vie...*

– Oui. Il y a 600 millions d'années, il se produisit une extraordinaire explosion de vie. Elle se mit à foisonner en une multitude de bestioles aux formes invraisemblables, comme l'attestent les squelettes trouvés dans divers gisements. Et cette période de création débridée suit de peu la fin du dernier épisode connu de *snowball*. Est-ce que ce forçage climatique a obligé la vie à trouver des organisations plus efficaces ? Est-ce que les conditions chimiques, profondément modifiées, ont finalement constitué un facteur favorable ? On a l'impression que les périodes de stress forcent la biosphère à se dépasser.

– *Nous quittons donc le Précambrien par une catastrophe qui a peut-être donné naissance à la vie animale organisée, telle que nous la connaissons.*

– Oui. Au Précambrien, les traces des animaux n'ont pas été conservées, puisqu'ils n'avaient pas de squelette. Mais, dorénavant, les nouvelles formes de la vie vont nous permettre de définir toutes les ères géologiques. Car la suite de l'histoire de la Terre est calée sur ces espèces que nous pouvons suivre, même si les témoignages sont parfois insuffisants et qu'il reste des périodes d'ombre.

– *Le début du Primaire, c'est donc un peu la sortie du tunnel. La Terre avait-elle enfin un visage semblable à celui que nous connaissons ?*

– Oui. Aspect, climat, environnement étaient comparables à ceux d'aujourd'hui.

– *S'il avait existé, un homme aurait-il pu y vivre ?*

– Difficilement.

– *Allons bon ! Pas assez d'oxygène ?*

– Si, mais il aurait manqué une bonne partie de la biosphère lui permettant de se nourrir.

– *Et en apportant son manger ?*

– Avec un casse-croûte, il ne serait pas mort. Alors que quelques centaines de millions d'années plus tôt, il n'aurait pas survécu cinq minutes. Après la période dantesque, ténébreuse, brumeuse, brûlante, le passage à la lumière s'était fait grâce à la vie et à l'oxygène. Mais en sortant de l'enfer, la Terre était entrée dans ces épisodes glaciaires invraisemblables.

## *Apocalypses en tous genres*

– *Notre jeune planète se montrait quelque peu extrémiste.*

– Oui, elle se cherchait. Elle oscillait entre effet de serre très fort et retour aux glaciations totales. La vie interagissait avec tout ça. Ce monde était rythmé par des catastrophes d'une ampleur qui nous dépasse. Puis est venu le prolifique Cambrien. Les plans de presque tous les animaux ont été inventés à cette époque. Certains ont disparu, d'autres ont rencontré un grand succès, tous ont évolué. À partir de cette époque, l'histoire de la vie et la géologie resteront couplées.

– *Le Cambrien est une période de l'ère Primaire ?*

– La première. Elle est suivie de l'Ordovicien, du Silurien, du Dévonien et du Carbonifère.

– *À quoi correspondent ces ères ?*

– À des changements importants dans la faune et la flore. Pendant longtemps, on ne les a pas du tout compris. On constatait seulement des ruptures radicales : les animaux n'étaient plus les mêmes, les paysages étaient différents. Brutalement, des espèces disparaissaient, d'autres apparaissaient. Et le temps qui séparait l'avant de l'après était assez court. Même aujourd'hui, on ne comprend pas toujours très bien ce qui s'est passé.

– *Combien de temps va durer l'ère Primaire ?*

– 300 millions d'années. À rapprocher des 4 000 millions d'années du Précambrien...

## *Le tango des continents*

– *Qu'est-il arrivé à la Terre durant cette période, qui représente tout de même presque un dixième de son histoire ?*

– Toute l'histoire de la Terre jusqu'à nos jours est désormais orchestrée par la tectonique des plaques.

– *En quoi cela consiste-t-il ?*

– La tectonique des plaques est l'une des particularités qui font que la Terre est unique dans le système solaire. C'est le mécanisme qui façonne sa surface telle que nous la connaissons, qui lui donne à la fois son charme, ses paysages, ses biotopes, ce mouvement incessant par lequel se manifeste la vie de notre planète.

– *C'est la fameuse dérive des continents ?*

– Oui et non. Au début du siècle dernier, plusieurs scientifiques avaient remarqué que les formes de beaucoup de continents pouvaient s'emboîter, à la manière d'un puzzle. Conclusion logique : ils ne se trouvaient plus aujourd'hui à leur position d'origine. Alfred Wegener, un géophysicien allemand, donna corps à cette théorie. Non seulement on peut raccorder parfaitement la côte ouest de l'Afrique à l'Amérique du Sud, ou fermer la mer Rouge et le golfe d'Aden en emboîtant l'Arabie dans l'Afrique, mais il existe aussi des preuves géologiques. On arrive à raccorder des roches distantes de 5 000 kilomètres. On peut remettre bout à bout, de part et d'autre d'un océan, des dépôts qui se sont formés jadis au même endroit. Même chose avec les petits animaux et les plantes fossiles. Wegener avait donc très bien conçu tout ça. Ce qui manquait, c'était l'explication[1].

– *Il n'en donnait pas ?*

– Si, mais fausse. Il pensait que les continents étaient des sortes de grands vaisseaux qui sillonnaient les océans sur lesquels ils flottaient. Or ce n'est pas du tout ça. La plaque Amérique du Sud, par exemple, comprend à la fois le continent Amérique du Sud et une moitié de l'océan Atlantique. La plaque Afrique est formée de l'Afrique, de la moitié orientale de l'Atlantique sud et d'un morceau de l'océan Indien.

– *Plaques et continents sont deux choses différentes ?*

– Absolument. Les continents sont des noyaux sertis au milieu de plaques qui bougent les unes par rapport aux autres. Ainsi, la moitié de l'océan Indien fait partie de la plaque indienne. Même chose pour l'océan qui sépare l'Australie de l'Antarctique : il appartient pour moitié à la plaque australienne.

– *Mais comment les rivages des continents peuvent-ils coïncider s'ils ne correspondent pas aux frontières des plaques ?*

– Initialement, la fracture s'est faite à l'intérieur d'une seule plaque continentale. La frontière correspondait alors exacte-

1. Cartes, p. 200-201.

ment à la limite des continents. Puis les deux morceaux se sont éloignés, parce qu'entre eux un océan s'ouvrait. Une dorsale, c'est-à-dire une chaîne de volcans sous-marins, épanchait des basaltes et fabriquait de la plaque océanique de part et d'autre de la ligne de partage. Ces laves se collaient aux deux noyaux continentaux qui s'agrandissaient chacun d'un demi-océan de plus en plus vaste.

### *Les océans mènent le bal*

*– Ce sont donc les océans en formation qui permettaient aux continents de s'écarter ?*

– Et qui continuent à le faire. Les océans s'ouvrent et se ferment, naissent et disparaissent. Ils sont donc beaucoup plus jeunes que les continents. Le premier océan global a disparu depuis longtemps : tous ceux que nous connaissons actuellement ont moins de 250 millions d'années. Alors que les continents, eux, portent la mémoire du passé infernal et très ancien de la Terre.

*– Quand les océans se ferment, où va l'eau ?*

– Lorsqu'un océan se ferme, un autre s'ouvre. Le niveau global reste donc constant, puisqu'ils fonctionnent comme des vases communicants. Aucun n'est fermé. Ils portent des noms différents, correspondent à des plaques différentes, mais forment une sorte d'océan unique. Vue de l'espace, la planète bleue est recouverte d'un immense océan et de plusieurs continents.

*– Sur quoi flottent les plaques, qu'elles soient continentales ou océaniques ?*

– Sur le manteau. Sa matière brûlante, solide mais visqueuse, épaisse de 2 900 kilomètres, est, nous l'avons vu, agitée par des mouvements de convection. En remontant, elle se met à fondre. En surface, elle forme une coquille très fine, la lithosphère, qui ne dépasse guère 100 kilomètres d'épaisseur. Un peu plus épaisse sous les continents, plus mince sous les océans. Cette coquille est rigide et résistante, parce qu'elle est froide. C'est là que se déclenchent les grands tremblements de terre. La coquille froide repose sur quelque chose de mou, de chaud et qui bouge. Elle est scindée en une mosaïque de morceaux. Ce sont les plaques. Et celles-ci sont sans arrêt en mouvement.

– *Recouvrent-elles la totalité de la planète ?*

– Oui. Aucune ne peut donc bouger sans que les autres ne se déplacent aussi. Elles peuvent s'écarter, mais, dans ce cas, se rapprochent ailleurs. Là où s'exerce un mouvement descendant dans le manteau, il y a en général une plaque qui s'enfonce et passe sous l'autre. Il s'agit presque toujours d'une plaque océanique dont la densité serait proche de celle du manteau, à température égale. Mais puisque la plaque est froide, elle est un peu plus lourde, et coule donc comme un bateau qui fait naufrage. C'est ce que l'on appelle la subduction. Le retour dans les profondeurs.

– *Au départ, c'est bien le volcanisme qui ouvre des océans et fait tout bouger ?*

– Indirectement. Ce n'est pas le volcanisme qui pousse les plaques. La dorsale se trouve à 2 500 mètres sous la surface, bien plus haut que les plaines abyssales. Les plaques se comportent comme de grands glaciers qui glissent doucement vers les grands fonds, qui, eux, se situent à plus de 5 000 mètres de profondeur.

*– Et pour se développer, une nouvelle plaque doit forcément en repousser une autre afin de se faire de la place…*

– La repousser ou glisser dessous. En tout cas, il se passe forcément quelque chose. Les mouvements descendants et ascendants des cycles de convexion se traduisent en surface par des mouvements d'écartement et de convergence. Lorsqu'une plaque océanique se forme, la même surface doit disparaître en retournant au manteau. Il ne peut en être autrement, puisque la surface et le volume de la Terre sont constants.

*– La Terre n'arrête pas d'ouvrir des océans. Est-ce qu'elle fabrique aussi des continents, ou ont-ils tous été créés au Précambrien ?*

– Elle fabrique des océans là où les plaques s'écartent et des continents là où elles convergent. D'abord, il y a la création de magma, liée à la subduction, et qui, depuis le début, fait croître les continents. Imaginez une herse barrant le cours d'un ruisseau. En amont, feuilles, branches et détritus divers vont s'accumuler. Eh bien, la plaque océanique qui s'enfonce, c'est le ruisseau, et le bord du continent, c'est la herse. Sur la plaque océanique, il y a tout un tas de choses qui traînent : des volcans, des plateaux plus hauts que les autres, des accumulations de sédiments… Tout cela se fait raboter. Ça ne s'enfonce pas, ça s'accumule en surface, au bord de la plaque continentale. On appelle ça l'accrétion. Ce sont ces détritus de surface de la plaque océanique en train de plonger qui agrandissent le continent.

*– On en a actuellement des exemples concrets ?*

– Bien sûr. Sumatra, par exemple. La grande île indonésienne – 2 000 kilomètres de long – témoigne d'une telle accrétion. À cet endroit, la plaque indo-australienne s'enfonce sous l'Asie à la vitesse de 7 centimètres par an. Les sédiments qui se sont déposés durant des dizaines de millions d'années sur cette plaque océanique se font aujourd'hui raboter par la plaque continentale asiatique. Il existe des îles, situées jusqu'à 100 kilomètres des côtes de Sumatra, formées de ces sédiments accumulés par le rabotage. Elles sont les sommets d'une espèce de bourrelet sous-marin, tel qu'il peut s'en former devant un bulldozer.

### *Les océans coulent, les continents flottent*

– *Tous les océans finissent par replonger dans le manteau ?*

– Oui. Il n'existe pas de vieil océan. Le plancher du Pacifique, au large du Japon, n'a que 200 millions d'années. Et pourtant, c'est l'un des plus anciens. Alors que les continents, qui croissent très lentement, comme les cernes des arbres, peuvent compter des milliards d'années.

– *Eux ne coulent pas ?*

– Non. Ils sont beaucoup plus légers que le manteau, donc pratiquement insubmersibles.

– *Ouf ! Le plancher des vaches reste un refuge stable.*

– Stable ? J'utiliserais un autre adjectif. Les continents se brisent, se déplacent, se heurtent, se soudent, fabriquent des montagnes, sont secoués de séismes… La Terre est d'ailleurs la seule planète qui modifie ses paysages de cette façon.

– *Va pour refuge pérenne… C'est donc depuis l'ère Primaire que la tectonique des plaques, puisque c'est ainsi que l'on appelle tous ces mouvements de l'écorce terrestre, joue le rôle de chef d'orchestre ?*

– Disons que l'on a plus d'informations sur cette période que sur l'ère précédente. Et il a commencé à se former à cette époque des structures que nous connaissons bien.

– *Lesquelles ?*

– Il s'est produit d'importantes collisions, qui ont donné des montagnes. Deux grandes plaques continentales se sont télescopées violemment, il y a 300 millions d'années, au Carbonifère. Conséquence du choc : des montagnes. Le Massif central, la Cornouaille, le promontoire de la Bretagne, les Vosges, la Forêt-Noire constituent ce qu'on appelle la chaîne hercynienne, qui se prolonge à l'ouest par les Appalaches, en Amérique du Nord, et à l'est par l'Oural. Cette chaîne de montagnes avait permis la soudure temporaire de la Laurasie et du Gondwana en un super-continent, la Pangée.

– *La Laurasie était un grand continent constitué de l'Europe et de l'Amérique du Nord ?*

– Et de l'Asie. Et le Gondwana regroupait les continents du Sud.

– *Avant leur télescopage et leur soudure, qu'est-ce qui séparait ces deux blocs continentaux ?*

– Un océan. L'océan Iapetus, qui s'est fermé.

– *La chaîne hercynienne correspond aux plus anciennes montagnes de l'histoire de la Terre ?*

– Pas du tout. Peu avant, une autre grande chaîne s'était déjà formée au nord de l'Écosse et en Scandinavie : la chaîne des Calédonides, qui est vieille de 400 millions d'années. Elle était née également d'une collision entre plaques continentales : Amérique du Nord et Groenland d'un côté, Nord de l'Europe de l'autre. Mais les Calédonides ont été rabotées, nivelées par l'érosion. Dessus, se sont déposés des conglomérats, des grès, des molasses.

– *C'est quoi, les molasses ?*

– Les produits de l'usure. Dès qu'une montagne se forme, elle est attaquée par la pluie, le vent, la glace, les écarts de températures ; bref : l'érosion, qui la dévore peu à peu. Les débris sont transportés par des cours d'eau et s'accumulent dans de grands bassins, au pied des montagnes. Celles-ci finissent même par être enfouies sous leurs propres décombres. Nous rencontrons aujourd'hui ces molasses dans la plaine danubienne, au nord des Alpes ; dans la plaine du Pô, au sud. Il y a aussi les molasses helvétiques avec tous les lacs... Dans ces bassins, se trouvaient des marécages, des forêts tropicales, qui ont donné les grands gisements de charbon de l'Europe du Nord. Cela signifie qu'à l'époque, au Carbonifère, ces régions étaient situées à des latitudes chaudes.

– *Est-ce le climat qui avait changé, ou la position des continents qui était différente ?*

– La position des continents. L'actuelle Europe se trouvait à un autre endroit de la Terre, bien plus au sud. La formation des charbons s'est faite sous d'autres cieux. Imaginez : de grandes forêts marécageuses, avec les arbres qui, en mourant, tombent les uns sur les autres, accumulant ainsi des quantités fantastiques de déchets végétaux...

## *Recette du charbon*

– *Si, aujourd'hui, on ne coupait pas les forêts d'Amazonie ou du Congo, cela donnerait un jour des gisements de charbon ?*

– Bien sûr. Mais pour donner du charbon de qualité, il faut que ça s'enfouisse. Sinon, on n'obtient que des lignites, qui se trouvent très près de la surface, mais sont des charbons peu évolués.

– *Comment se cuisine le bon charbon ?*

– Pour commencer, il faut un cimetière d'arbres, avec de la matière organique très concentrée. Ensuite, pour mûrir, le charbon a besoin de conditions très particulières. Ça doit chauffer, mais pas trop. Il ne faut pas que ça s'oxyde, donc cela doit être préservé de l'air. Enfin, l'enfouissement ne doit pas être trop rapide.

### *Recette du gaz*

– *Sinon ?*

– Sinon, au lieu de charbon, il se fabrique du gaz naturel. C'est ce qui se passe actuellement en Birmanie. Dans le golfe de Martaban, de grandes rivières comme l'Irrawady charrient sans cesse des troncs d'arbre et des débris végétaux, mêlés à de la boue et du sable, qui vont se déposer au fond de la mer. Comme il s'agit d'un bassin en extension rapide – 3 centimètres par an –, tous ces sédiments s'enfoncent très vite et sont rapidement recouverts par d'autres. Ils sombrent sous le poids colossal accumulé. En un million d'années seulement, ils s'enfoncent de 15 kilomètres ! Et comme la température augmente rapidement, les débris végétaux deviennent du gaz.

– *Qu'est-ce qui fait que les sédiments s'enfoncent plus ou moins vite ?*

– Lorsqu'on se trouve dans un bassin d'effondrement, là où se produit un écartement de la croûte terrestre, celle-ci est moins épaisse. Comme un caramel mou sur lequel on tire et qui s'amincit en s'allongeant.

*– Les combustibles fossiles ne correspondent pas à une ère particulière ? Ils continuent à se fabriquer en ce moment ?*

– Oui, bien sûr. Aujourd'hui, le golfe de Martaban est une vraie usine à gaz. Une grande cuisine. Mais pour que l'on retrouve le gaz, il faut aussi qu'il ait été stocké. Sinon, il part dans l'atmosphère et entre dans le cycle général du carbone. On ne rencontre de grands gisements que là où se trouve, pour le retenir, une espèce de capuchon imperméable, une roche faisant office de cloche.

*– Tout le charbon ne s'est donc pas formé au Carbonifère ?*

– Non. L'étage carbonifère doit son nom au fait que la géologie est née en Europe, où ce sont les niveaux vieux de 300 millions d'années qui contiennent le plus de charbon.

*– Il n'y a pas eu des périodes plus productives que d'autres ?*

– Cela dépend des endroits. En Chine, on trouve des gisements extrêmement importants qui datent du Jurassique, c'est-à-dire entre 195 et 140 millions d'années. De gigantesques forêts, contemporaines des dinosaures, ont donné naissance, par la suite, à des gisements de charbon extraordinaires. Pour avoir du charbon, il faut qu'il y ait eu des arbres. C'est pourquoi il ne s'est guère formé de charbon avant l'ère Primaire : il n'y avait pas encore les forêts nécessaires. Le charbon est un hydrocarbure assez récent, et que l'on trouve là où il s'est formé, contrairement au pétrole qui se déplace de la roche qui lui a donné naissance à la roche « magasin ».

## *Recette du pétrole*

– *Comment la Terre a-t-elle fabriqué le pétrole ?*

– C'est encore autre chose. Il s'agit de la transformation chimique de micro-organismes. Alors que les gisements de charbon sont continentaux, ceux de pétrole se forment de façon prépondérante dans les sédiments biologiques qui se déposent au fond des mers ou des lacs.

– *Le pétrole est donc d'origine animale ?*

– En partie. Quand les milliards de petits organismes qui vivent dans la mer, comme le plancton, meurent, ils se déposent sur le fond où ils se mélangent à des particules d'argile. Cela donne une espèce de bouillasse, animale et végétale, piégée dans de la matière minérale. Des couches sédimentaires se superposent ainsi. Plus l'épaisseur, donc le poids, augmentent, plus elles s'enfoncent. Et c'est de nouveau la cuisine : chaleur, pression, décomposition de la matière organique…

– *Mais le pétrole est liquide. Il ne s'écoule pas ?*

– Il n'est pas condensé en filons comme le charbon. Il est piégé de manière diffuse par une roche qui se comporte comme une éponge.

– *Et le pétrole qui jaillit du sol avec une pression formidable, c'est quoi ?*

– Pour obtenir un gisement, il faut que les caprices de la tectonique aient pressé l'éponge, que des fissures aient rassemblé le pétrole. Celui-ci, léger, est remonté. Il a alors fallu qu'il puisse s'accumuler dans des cloches coiffées de ces roches imperméables, qui piègent aussi le gaz. Voilà pourquoi les régions du monde qui produisent le plus de pétrole sont souvent les piémonts des chaînes de montagnes où des couches géologiques ont été plissées. Exemple : le Texas, piémont des montagnes Rocheuses. Ou l'avant-pays de la chaîne du Zagros, en Iran et Irak, qui s'étend de l'autre côté du golfe Persique, en Arabie. Là se trouvent de grands plis assez mous dans lesquels sont piégés les gisements géants qui ont fait la fortune des bergers nomades du coin.

– *Si la mer monte, peut-être finirons-nous aussi par nous transformer, à notre tour, en ce pétrole que nous avons tant aimé…*

– Qui sait ? Mais la biomasse constituée par les animaux supérieurs n'est pas très importante. Elle ne compte guère.

– *Tout au long de l'ère Primaire, la machine Terre a trouvé un rythme de croisière, la vie s'est développée… Et puis, à la fin du Permien, c'est-à-dire il y a 230 millions d'années, on change d'ère : c'est le Secondaire. Que se passe-t-il alors ?*

– Une catastrophe démentielle : 90 % des espèces marines ont disparu.

– *A-t-on une explication ?*

– Difficile d'avoir des certitudes absolues concernant quelque chose qui s'est déroulé il y a 230 millions d'années. Mais ce dont nous sommes sûrs, c'est qu'à cette époque se sont produites des éruptions volcaniques phénoménales.

– *À quoi ressemblaient-elles ?*

– À rien de ce que nous connaissons aujourd'hui. Il y a deux types de volcanisme que nous n'avons jamais observés en action. Les immenses épanchements de basaltes, couvrant des centaines de milliers de kilomètres carrés, tels qu'il en reste, datant de la fin du Permien, en Chine et en Sibérie. Et aussi les cheminées volcaniques, qui donnèrent naissance aux roches porteuses de diamants : les kimberlites, que l'on trouve surtout en Afrique du Sud, au Canada et en Sibérie.

## *L'enfer qui fait des bulles*

– *Qu'est-ce qui a provoqué ces volcanismes géants, inconnus aujourd'hui ?*

– On pense qu'il s'agissait d'une autre manière qu'avait la Terre de dissiper épisodiquement sa chaleur. La convection est un moteur continu. Mais beaucoup plus profond, à l'interface entre le manteau et le noyau, qui est à cet endroit liquide et instable, il se passe aussi des choses. De temps en temps, se forment des bulles de manteau, incroyablement brûlantes et malléables, qui remontent vers la surface plus rapidement que la convection générale et son train tranquille. Un peu comme dans ces lampes décoratives, à l'intérieur desquelles se trouvent deux fluides huileux dont l'un, coloré, forme des bulles en mouvement... Lorsqu'une telle bulle – on l'appelle panache – atteint la base de la lithosphère, c'est une matière immensément chaude qui entre en contact avec une autre déjà froide. Et cela déclenche un volcanisme titanesque dont on n'a pas idée. Son émergence déclenche un cataclysme.

– *Et cela aurait pu tuer tant d'espèces vivantes ?*

– Des cendres et des gaz délétères ont envahi l'atmosphère. Il s'est formé une sorte d'écran opaque. Aujourd'hui, les éruptions que nous qualifions de très grosses peuvent avoir une incidence significative sur le climat. L'éruption du Laki, en Islande, qui a craché feu, flammes, cendres, basaltes et gaz sulfureux durant plusieurs mois de l'année 1783, a anéanti tout le cheptel du pays et engendré des famines. Le nuage a ensuite traîné sur l'hémisphère Nord. Il était tellement opaque qu'il n'y a pas eu d'été. Il neigeait sur Londres au mois de juillet. Plus près de nous, l'éruption du Pinatubo a eu aussi quelques effets sensibles sur le climat. Ces éruptions sont capables de faire baisser la température moyenne d'un demi-degré durant toute une année. Or, il ne s'agit là que d'événements extrêmement modestes, comparés aux panaches.

– *Comment l'expulsion par la Terre d'aérosols sulfuriques et de cendres brûlantes peut-elle provoquer un refroidissement ?*

– Certains ont comparé la situation à un hiver nucléaire, faisant suite à une guerre atomique. Le ciel est obscurci. Faute de soleil, la photosynthèse ralentit considérablement, s'arrête même. Le plancton s'anémie, ainsi qu'une partie de la végétation, et aussi les animaux qui s'en nourrissent, et les animaux qui se nourrissent d'animaux… Tout s'arrête. Seules arrivent à survivre des espèces frugales ou peu spécialisées. Donc, plus adaptables, comme le raconte fort bien Jean-Marie Pelt[1].

– *L'ère Primaire s'est donc terminée par une catastrophe volcanique et glaciaire…*

– … particulièrement grave ! Nous savons qu'elle a entraîné un refroidissement et un recul importants des mers.

1. Voir *La plus belle histoire des plantes*, Seuil, 1999.

– *Combien de temps va durer l'ère Secondaire qui débute alors ?*

– 180 millions d'années. Seulement un peu plus de la moitié du Primaire. Les âges géologiques sont de plus en plus courts, parce que nous avons de plus en plus d'informations grâce aux traces de la vie, et nous repérons donc plus finement les ruptures. L'ère Secondaire se divise en trois périodes : Trias, Jurassique et Crétacé.

– *Que s'est-il alors passé ?*

– Les dinosaures ont envahi la planète. On assiste à un grand rebond de la vie. 30 millions d'années plus tard, à la fin du Trias, on trouve les traces des premiers mammifères. Au Jurassique, ce sont les premiers oiseaux qui s'envolèrent, et au Crétacé naquirent les plantes à fleurs. Et le ballet incessant des plaques s'est poursuivi. Il y avait des océans qui s'ouvraient, des océans qui se fermaient ; des continents qui s'écartaient, des continents qui se rapprochaient. Mais, durant cette période, la Terre commença à prendre une configuration encore plus proche de celle que nous lui connaissons.

## *Quand le mont Blanc était une plage*

– *Comment se présentait le paysage en ce début de Secondaire ?*

– La Pangée, le super-continent assemblé au Permien à force de collisions, était en train d'éclater. La Téthys, immense golfe marin séparant la Laurasie du Gondwana, a commencé à se fermer.

– *Où se trouvait alors la France ?*

– Elle n'avait pas la forme qu'on lui connaît : elle n'était pas individualisée. L'Atlantique n'existait pas encore. Aujourd'hui, notre région est délimitée par des frontières naturelles assez remarquables : Manche, côte Atlantique, Pyrénées, côte méditerranéenne, Alpes, fossé rhénan... Rien de tout cela n'existait. Au Trias, la France faisait partie d'une vaste plaine, où se déposaient les alluvions de grandes rivières paresseuses venant de l'ouest. Au sud-est se trouvait la Téthys. À la place des Alpes, il y avait un bord de mer.

– *On en a des traces ?*

– Bien sûr. Des dépôts bien connus se sont formés : sable apporté par les rivières, lagunes au fond desquelles les sédiments restent un peu salés, calcaires coquilliers qui prouvent l'existence de l'océan... Tout cela signifie que l'on passait d'un littoral sableux à une lagune, puis à une mer peu profonde. C'était le rivage sud de la Laurasie.

– *À la place des Alpes, il y avait des plages ?*

– Et des lagunes. C'était un environnement encore calme, sans volcanisme ni séismes.

– *Et à quelle latitude se trouvait ce paradis ?*

– Plus au sud qu'aujourd'hui, et il était couvert de grandes forêts. On sait que les continents bougent à un train de sénateur. On peut donc y retrouver, fossilisés, des faunes et des flores caractéristiques d'autres climats. Ainsi, une centaine de millions d'années plus tôt, au Carbonifère, toute l'Europe du Nord était située dans la zone équatoriale. Mais il s'agit là de modifications lentes, qui n'ont rien de catastrophique.

– *Alors, qu'est-il arrivé pour que la région change tant ?*

– Au temps de l'océan Téthys, la mer s'étendait à perte de

vue depuis le rivage de l'Eurasie. La mer et rien d'autre. Pourtant, ce calme était trompeur : il se passait quelque chose d'important : la Téthys rétrécissait. Son fond océanique plongeait dans le manteau. Et, en même temps, l'océan Atlantique avait commencé à s'ouvrir.

– *Et cela s'effectuait sans heurts ?*

– Pas plus qu'au Japon aujourd'hui. Ce qui veut dire qu'il y avait tout de même de sérieux séismes. Mais, surtout, cela faisait se rapprocher dangereusement de l'Europe les continents formant la rive sud de la Téthys. L'Afrique en particulier, dont les promontoires, telle l'Italie, commencèrent à buter contre les bords de l'Europe. Car si la croûte océanique, dense, plongeait sans difficulté dans le manteau, la croûte continentale africaine, elle, ne pouvait s'enfoncer.

– *Elle s'est arrêtée ?*

– Non. Un tel mouvement ne s'arrête pas ainsi. Les deux blocs ont continué à se rapprocher. Selon les régions, l'Afrique ou l'Eurasie ont commencé à grimper l'une sur l'autre. Et comme la croûte continentale est épaisse et légère, ces chevauchements ont fait monter le relief.

## *Montagne et caramel mou*

*– Les montagnes sont donc le résultat d'un soulèvement de la croûte. Je croyais qu'il s'agissait de plissements.*

– C'est à peu près la même chose. Une chaîne de montagnes correspond à une région dans laquelle la croûte se raccourcit. Prenez deux caramels mous, pressez-les fortement l'un contre l'autre : ils vont se plisser et s'épaissir. C'est un peu ce qui se passe quand deux blocs continentaux de 30 kilomètres d'épaisseur se télescopent.

*– Mais les caramels mous s'épaississent aussi vers le bas.*

– Les montagnes aussi. Et même bien plus ! Celles que nous voyons ne sont que la partie émergée. En réalité, elles se comportent comme des icebergs, dont un dixième seulement dépasse de la surface. Plus la quille de l'iceberg descend profondément, plus la partie émergée est haute. C'est le principe d'Archimède. Pour les montagnes, c'est la même chose. Lorsque la croûte continentale s'épaissit, elle s'enfonce en fonction de son poids. Et la partie qui dépasse est proportionnelle à l'importance de la quille.

*– Donc, plus une montagne est élevée, plus, en dessous, la croûte continentale est épaisse ?*

– Voilà. Le rapport est, *grosso modo*, de 1 à 7. Pour faire 1 000 mètres de relief, il faut 7 000 mètres de racine. C'est ainsi que dans les Alpes la quille descend, en moyenne, à 3 000 multiplié par 7, soit 21 000 mètres sous le niveau de base de la croûte qui, normalement, se trouve à 35 kilomètres de profondeur. Ce qui fait 56 kilomètres de profondeur au total. La quille de l'Himalaya, dont plusieurs sommets dépassent 8 000 mètres, peut atteindre 70 kilomètres. Tout cela correspond à la différence de densité entre la croûte et le manteau sur lequel elle flotte.

– *Les montagnes peuvent-elles atteindre des altitudes beaucoup plus hautes que les presque 9 000 mètres que nous connaissons ?*

– Non. D'une part, parce que la Nature dépense de plus en plus d'énergie pour faire monter les sommets. Il arrive donc un moment où il devient plus facile d'élargir leur base. D'autre part, elles ne peuvent s'élever indéfiniment, parce que, plus elles montent, plus l'érosion se fait ravageuse. Aux sommets, les pentes sont raides, et les glaciers sont de redoutables agents d'usure.

– *C'est donc l'érosion qui, à partir d'une certaine hauteur, l'emporte sur la tectonique et use les montagnes plus vite qu'elles ne montent ?*

– Avec une petite complication. L'érosion enlève le sommet, mais nous venons de voir que la montagne a une quille, et par conséquent l'équilibre isostatique rehausse le tout. Vous coupez le haut, c'est moins lourd, donc ça remonte...

## *Alpes tranquilles*

– *Est-ce que le mont Blanc continue à monter ?*

– Dans une chaîne de montagnes, l'action a toujours tendance à migrer vers l'avant-pays. La partie centrale des Alpes est la plus ancienne. On y voit, par exemple, les célèbres laves en coussins du Chenaillet, une petite station de ski située entre Briançon et le col du Montgenèvre. Ce sont des basaltes qui se sont jadis épanchés au fond de la mer. On retrouve donc là, à 2 600 mètres d'altitude, la trace d'un océan disparu. On suit ces roches-là tout le long des Alpes. Mais cette région intérieure est morte. Il ne s'y passe plus grand-chose. En tout cas, plus de raccourcissement. En revanche, quand on passe la crête – le mont Blanc donc – et qu'on arrive aux Préalpes, on retrouve l'action, parce que c'est là, devant la chaîne, que la plaque Europe est en train de s'enfoncer.

– *L'histoire des Alpes n'est donc pas terminée ?*

– Pas le moins du monde ! Elles sont encore en formation. Mais à des vitesses faibles : l'Italie se rapproche de la France d'à peine 5 millimètres par an.

– *C'est pour ça qu'il y a peu de grands séismes dans les régions alpines ?*

– C'est pour ça. Accumuler, à raison de 5 millimètres par an, 10 mètres de déformation, qui se relâcheraient d'un coup, demande deux millénaires. Or, on n'a pas gardé le souvenir d'un grand séisme dans les Alpes datant d'avant Jules César. Hormis le fait que les Gaulois craignaient que le ciel ne leur tombe sur la tête ! En fait, les Alpes sont une chaîne un peu lente qui a commencé à apparaître il y a bien longtemps. Rendez-vous compte : le point culminant de la formation des Alpes, c'est le Miocène, une période du Tertiaire qui se situe entre 20 et 5 millions d'années, alors que les premiers anthropoïdes arrivaient tout juste.

– *Et on arrive à mesurer une surrection de quelques millimètres ?*

– Oui, mais difficilement. Et on ne sait pas très bien faire la différence avec la montée liée à l'isostasie : la fonte de la calotte glaciaire, il y a 10 000 ans, a enlevé du poids.

*– Vous voulez dire que le réchauffement de la planète fait monter les montagnes ?*

– Bien sûr. L'altitude des montagnes scandinaves n'est pas due à un raccourcissement ; au contraire, elles sont au bord d'un océan qui s'ouvre. Les Calédonides sont de belles chaînes ; pourtant, il ne s'est rien passé là-bas depuis 400 millions d'années. Mais il y a 20 000 ans, elles supportaient une grande partie de la calotte glaciaire. Sous ce poids, la Baltique s'était enfoncée et les Calédonides aussi. Vint la fonte des glaces, et l'allégement consécutif. La remontée s'est produite à des vitesses faramineuses : 2 kilomètres d'altitude en 12 000 ans ! Et si le continent Antarctique perd sa calotte, il va prendre de la hauteur… Le principe est simple. Regardez un cargo : quand on le vide, la ligne de flottaison remonte de plusieurs mètres… Dans les Alpes, il y a sûrement un rebond de ce type aujourd'hui.

## *Rencontres en Méditerranée*

*– Revenons à la collision. Pourquoi l'Afrique ne touche-t-elle pas l'Europe, si les deux continents se sont télescopés depuis le Secondaire assez violemment pour donner naissance aux Alpes ?*

– En fait, les deux plaques se touchent : l'Italie est un promontoire de la plaque africaine. Mais il est vrai que les chaînes alpines méditerranéennes sont très compliquées. La Méditerranée n'a pas encore fini de se fermer : il reste le golfe du Lion, la mer Tyrrhénienne, la mer Adriatique, etc. Tout cela parce que les mouvements ont été très lents, avec des cisaillements. De plus, coincée entre l'Afrique, qui continue à progresser, et l'Europe, existe une mosaïque de blocs. Des morceaux de la Téthys ou des fragments d'une autre plaque, comme l'Espagne, qui, au nord, fabrique les Pyrénées, ou le bloc Corse-Sardaigne, qui est un morceau de France et d'Espagne. C'est d'ailleurs entre la Corse et la France que l'on a les plus grands séismes d'Europe occidentale à l'heure actuelle.

– *Pourquoi rien n'est simple en Méditerranée ?*

– Parce que les contours des blocs qui se sont télescopés étaient compliqués et ils ont ensuite été encore complexifiés par la collision. Aujourd'hui, les Alpes décrivent des arabesques. À Turin, en hiver et par temps clair, les Italiens disent : « *Si vede l'arco delle Alpi.* » Effectivement, vous êtes entourés par l'arc alpin. On peut le voir de tous côtés : au nord, à l'ouest, au sud et même loin vers l'est. Dans cette direction, la chaîne continue presque en ligne droite jusqu'à Vienne. Et puis, ça recommence : l'arc des Carpates entoure l'essentiel de la Roumanie.

– *Les Carpates font partie des Alpes ?*

– Ainsi que les Apennins, le Rif marocain et l'Atlas. Il s'agit d'un système, avec des degrés divers d'évolution. Il existe, dans l'arc des îles Éoliennes, le Vulcano et le Stromboli, qui sont des volcans encore actifs. Et le plancher de la mer Ionienne, presque fermée, est un reste de plaque océanique. Au nord de la Crète, on observe des séismes jusqu'à 200 kilomètres de profondeur. Dans cette région, nous pouvons voir, grâce aux sismographes, le plancher de ce qui reste de la Téthys s'enfoncer lentement sous la mer Égée. L'une des manifestations de cette subduction est un volcan actif : le Santorin.

*– Les séismes du Maghreb – Oran, Agadir, El Asnam, etc. – sont liés au système alpin ?*

– Oui. L'Atlas est un morceau de cette frontière de plaque en train de se soulever.

*– Cette période a été extrêmement riche en ce qui concerne le fonctionnement interne de la Terre. Sans nous en rendre compte, nous avons franchi la frontière Secondaire-Tertiaire. Il n'y a donc pas eu de grande catastrophe ?*

– Si. Terrible. Les dinosaures n'ont vu ni les Alpes ni l'Himalaya.

SCÈNE 3

# La planète habitée

Beauté fatale ! C'est là où la Terre tremble, là où les volcans entrent en éruption, là où les continents se heurtent, que la vie va se concentrer. Car ces lieux dangereux sont les plus beaux, et aussi les plus riches.

## *Bye bye, dinosaures ! Salut, les mammifères !*

– *Quelle nouvelle calamité a marqué le passage à l'ère Tertiaire ?*

– **Paul Tapponnier** : Encore une extinction massive d'espèces, en particulier les dinosaures, qui avaient dominé la planète durant plus de 150 millions d'années. Mais de nombreuses formes de vie marines ont été anéanties elles aussi, telles les fameuses ammonites, ces fossiles chéris des classes de 4e, qui ressemblent à des escargots.

– *Toujours la faute aux volcans ?*

– Il semble que, cette fois, il y ait eu la conjonction de plusieurs cataclysmes. Les traces du volcanisme catastrophique sont indiscutables. L'une des plus spectaculaires est celle du Deccan, en Inde. En quelques centaines de milliers d'années, un tiers de la péninsule Indienne a été recouvert de couches de basalte dont l'empilement a fabriqué des falaises de plusieurs kilomètres de haut, avec des coulées de lave d'épaisseur comparable. On appelle ça des *trapps*, un mot d'origine suédoise qui signifie *escaliers*. Vous imaginez l'ampleur du volcanisme qui a ainsi recouvert, en un temps très court, des millions de kilomètres carrés ! Il s'agissait d'un panache, une de ces remontées de bulles torrides dont nous avons déjà parlé. Or, les coulées de basalte du Deccan se sont mises en place à une date magique : 65 millions d'années, l'époque où les dinosaures disparaissent. Enfin, presque : les oiseaux, qui sont proches des dinosaures théropodes, ont tout de même survécu.

– *Vous disiez qu'il y a eu plusieurs facteurs combinés.*

– Oui. On sait que les extinctions peuvent aussi être liées à des collisions cosmiques exceptionnelles, et que celles-ci, quoique plus rares qu'aux débuts du système solaire, peuvent encore se produire. Or, les formations volcaniques du Deccan sont contemporaines d'un gigantesque impact de météorite.

## *L'arme du crime*

– *Une météorite aurait eu les mêmes effets que le volcanisme ?*

– Exactement. Avec un raz de marée colossal en prime. Pendant longtemps, il ne s'est agi que d'une hypothèse : on n'avait pas identifié de cratère géant. 65 millions d'années, ce n'est pas très vieux : il était difficile de croire que tout ait été effacé. Ou que la plaque sur laquelle était tombée la météorite ait déjà disparu dans le manteau. On avait tout de même une indication : à cette époque précisément, on peut constater une anomalie dans certaines couches de sédiments. Il existe des couches très riches en iridium, un métal rare sur la planète Terre. Comme il est très dense, il ne devrait se trouver que dans le noyau. En revanche, ce minéral est contenu en proportions notables dans les objets interplanétaires. Un météore de grande taille peut donc en apporter des quantités tout à fait anormales. Datant toujours de 65 millions d'années, on a aussi trouvé des quartz choqués.

– *Choqués par qui ?*

– Lorsqu'une météorite s'écrase sur un granite dans lequel il y a des quartz, il se crée soudain des pressions extraordinaires qui font naître dans le quartz des structures cristallines particulières.

– *Des indices convergents, mais toujours pas de coupable.*

– Si. On a fini par le trouver. Au Mexique. À Chixculub, dans la péninsule du Yucatan. Un cratère géant, enfoui sous des dépôts récifaux. Parce que, bien entendu, la mer avait envahi l'immense trou, dans lequel elle avait déposé des sédiments. Il est donc caché, mais, avec des sondages géophysiques profonds, on a pu l'identifier. On a aussi retrouvé des éjectas, c'est-à-dire des retombées du choc.

– *Et la date ?*

– 64,9 millions d'années. Les malheureux dinosaures ont connu une série noire monumentale ! Vous imaginez : un impact monstrueux, avec probablement un raz de marée dévastateur, une fusion de la croûte terrestre avec aérosol, poussières, etc. Et, à la même époque, à quelques dizaines de milliers d'années près, arrive sous l'Inde, en train de voyager vers le nord, la tête d'un panache brûlant venu des profondeurs du globe, qui déclenche un volcanisme infernal.

– *N'est-ce pas le choc qui a pu secouer la Terre et déclencher l'éruption ? Les deux événements ne sont pas liés ?*

– La planète a certainement été secouée, mais ce n'est pas l'impact qui a déclenché la montée de la bulle. Il a fallu qu'elle remonte de 3 000 kilomètres. Ça a tout de même pris un certain temps ! On pourrait peut-être imaginer que le choc ait favorisé l'ouverture de fissures dans le Deccan, et aussi à Thulé où des *trapps* à peu près contemporains ont marqué le début de l'ouverture de l'Atlantique entre le Groenland et l'Écosse. Mais l'impact de Chixculub n'a pas pu déclencher la remontée d'un panache.

– *Tout de même, tant de catastrophes exceptionnelles au même moment...*

– Vous avez raison de ne pas aimer les coïncidences, mais elles existent parfois. Vue de la Terre, la Lune a exactement le même diamètre apparent que le Soleil. Or, il s'agit d'une pure coïncidence. Il faut savoir que nous connaissons beaucoup d'épisodes volcaniques exceptionnels qui correspondent à des changements d'étage à l'intérieur des ères. Au Tertiaire, par exemple, les *trapps* d'Éthiopie correspondent au passage de l'Éocène à l'Oligocène, vers 30 millions d'années. C'est plus petit comme catastrophe, mais elle est bien là. Vincent Courtillot, de l'Institut de physique du globe, a mis en évidence sept événements volcaniques importants, correspondant à de grands changements dans la faune et la flore. Donc, certains des cataclysmes qui ont ponctué la vie de la planète ont été causés par une éruption, d'autres par un impact. Il y a 65 millions d'années, cela a sans doute été les deux à la fois.

## *Une nuit de 10 000 ans*

– *Les effets de ces événements se sont prolongés longtemps ?*

– Oui. Sinon, ils n'auraient pu être aussi dévastateurs pour la vie. Le choc d'une météorite a certes été ressenti, en soi, comme une catastrophe, mais pour que ses effets aient été à ce point destructeurs, il a fallu qu'il soit capable d'engendrer en un temps extrêmement court, celui de l'impact, un phénomène qui a perduré. Les éruptions de grande ampleur, elles, étaient capables d'entretenir les ténèbres pendant des dizaines de milliers d'années.

– *Aujourd'hui, l'éruption d'un panache pourrait encore se produire. Mais d'après André Brahic, nous sommes toujours à la merci d'un choc de météorite géante...*

– Bien sûr. Au début de la formation de la Terre, le bombardement a été intense. Dans le disque, les plus gros objets fonctionnaient comme des aspirateurs, attirant tout ce qui traînait. Ils ont fait le ménage autour d'eux. Il reste donc de moins en moins de ces objets, mais il en reste. Surtout des petits. On connaît tout de même un certain nombre de grands cratères, relativement récents. Celui de l'Arizona est très célèbre, mais il y a aussi le cratère du Ries, en Allemagne, et celui de Rochechouart, dans la Haute-Vienne – le nom est approprié : on pourrait entendre *roche choir*.

– *Tout cela n'est guère rassurant !*

– Non. Mais pour que l'impact ait des conséquences planétaires, il faut que la météorite soit vraiment grosse : plusieurs kilomètres de diamètre. Une telle masse trouerait alors la croûte, et même la partie supérieure du manteau, éjectant une quantité phénoménale de débris et de gaz. Et si elle tombait dans la mer, le raz de marée prendrait des proportions effarantes.

### *L'ère de rien*

– *Un certain nombre de mammifères, hagards, ont donc survécu. Ils vont peu à peu occuper le terrain laissé libre par les dinosaures. L'ère Tertiaire qui commence alors est déjà un peu la nôtre.*

– Pas seulement « un peu ». En fait, depuis l'époque du cratère de Chixculub et des *trapps* du Deccan, il ne s'est rien passé dans l'histoire de notre planète qui justifie un changement d'ère. 65 millions d'années, c'est la durée du seul étage Carbonifère. Ce sont 5 millions d'années de moins que l'étage Crétacé, qui termine l'ère Secondaire. C'est donc un temps bien court. Or, on a fait du Tertiaire une ère à part entière de 63 millions d'années seulement, suivie d'un Quaternaire, encore en cours, de 2 millions d'années. En fait, géologiquement parlant, on pourrait dire que nous sommes toujours dans l'ère Tertiaire, qui a commencé il y a 65 millions d'années.

– *Pourquoi a-t-on alors décidé d'inaugurer une ère Quaternaire ?*

– Pour fêter l'arrivée de l'*Homo sapiens* ! Mais aussi, je vous l'ai dit : plus nous nous rapprochons du présent, plus nous possédons d'informations. Le classement devient par conséquent beaucoup plus fin. Le tout petit Tertiaire a lui-même été découpé en cinq petits étages : le Paléocène, l'Éocène, l'Oligocène, le Miocène et, il y a 5 millions d'années, le Pliocène, au cours duquel les premiers humains inventèrent les premiers outils.

– *Revenons donc à l'histoire de la Terre elle-même. Que lui arrive-t-il au Tertiaire ?*

– Depuis 110 millions d'années, les morceaux orientaux du Gondwana, essentiellement l'Inde et l'Australie, se rapprochaient de la Laurasie. D'autres fragments étaient auparavant remontés du sud, avaient percuté le continent septentrional et s'y étaient soudés. Puis, au Paléocène, c'est le tour du dernier d'entre eux, l'Inde, qui commence à fabriquer la chaîne de montagnes la plus extraordinaire : l'Himalaya.

– *Même scénario que pour l'Afrique ?*

– Pas tout à fait. En ce temps-là, l'Inde était une espèce de grande île continentale, située au milieu d'une plaque océanique. Au nord, il y avait donc la Téthys, dont le plancher plongeait sous l'Asie. Entraînée par ce mouvement de subduction, l'Inde se rapprochait. Elle avait passé le point chaud de la Réunion. Elle venait de subir le terrible épisode volcanique qui avait engendré les *trapps* du Deccan et avançait fend-la-bise.

– *Le mouvement était rapide ?*

– Cela se passait à des vitesses énormes : la Téthys sombrait dans le manteau à plus de 10 centimètres par an ! À l'échelle des temps géologiques, c'est inouï : il s'agit d'une vitesse perceptible par l'homme. Si l'on réduit la largeur de votre rue d'un mètre tous les dix ans, vous remarquerez le changement !

– *Existe-t-il encore aujourd'hui des subductions aussi rapides ?*

– Presque. Au nord du Japon, par exemple, le plancher de l'océan Pacifique s'enfonce sous l'archipel à la vitesse de 9 centimètres par an. Le Japon est le bord de la plaque eurasiatique. Les techniques de tomographie sismique nous permettent désormais de visualiser une masse froide au milieu d'un environnement chaud. De sorte que nous pouvons regarder la plaque Pacifique descendre jusqu'à 700 kilomètres de profondeur, avec une inclinaison de 45 degrés.

### *Le choc de l'Inde, le poids de l'Himalaya*

– *Et l'Inde est arrivée au terme de son voyage...*

– Il y avait de grands volcans au nord de la plaque. Ça chauffait. Ça fondait. Puis ce fut la collision. Dans un premier temps, le bord nord de l'Inde a été ratatiné. Ce continent, serti au milieu de la plaque océanique, c'était 30 kilomètres d'épaisseur supplémentaire ! 30 kilomètres qui dépassaient. La partie continentale de la plaque indienne s'est donc fait littéralement scalper par le bord de la plaque asiatique. Des écailles d'Inde se sont empilées, chevauchées les unes par les autres.

– *Comme les copeaux d'un rabot ?*

– Exactement. Sauf que ça ne s'est pas enroulé. On pourrait faire la comparaison avec un bulldozer qui avance : la matière s'accumule, se plisse, et son épaisseur augmente.

– *Jusqu'à quelle altitude ?*

– L'altitude ne dépendait pas seulement de l'épaisseur de l'empilement, mais aussi du poids et de la rigidité de la plaque qui s'enfonce.

– *Comment cela ?*

– Le poids de la plaque qui l'entraînait dans le manteau tirait aussi vers le bas ce qu'elle portait. La plaque indienne fléchissait pour passer sous la plaque asiatique, mais gardait son élasticité. Comme un ressort à lames, ou une règle plate, en plastique, que l'on courbe, sans atteindre le point de cassure. Relâchez la règle en plastique que vous avez courbée, elle est capable de catapulter une gomme à distance respectable ! L'Himalaya, qui empiète sur la zone fléchie, subit donc une poussée vers le haut qui la maintient à une altitude artificielle.

– *La chaîne himalayenne est plus élevée qu'elle ne devrait ?*

– Oui. Au tout début de sa formation, il est probable que les sommets étaient assez modestes. En tout cas, bien loin des hauteurs qu'on leur connaît à l'heure actuelle. Parce que le poids total de la plaque en train de couler était plus grand qu'aujourd'hui.

– *À quelle époque s'est produit le choc ?*

– Vers 55 millions d'années. Mais on le sait par des signes indirects. Vous pensez bien qu'en s'enfonçant dans cette espèce de laminoir, l'Inde ne se faisait pas raboter de façon très calme. Il y avait là-dessous des roches qui chauffaient à cause du frottement et de la descente. Elles fondaient. Cela fabriquait des granites qui, à leur tour, étaient métamorphosés… Or, on ne voit pas de traces spectaculaires de roches réchauffées avant une période beaucoup plus tardive : 25 millions d'années. C'est donc la vie, une fois de plus, qui nous renseigne. Aux alentours de 55 millions d'années, une faune de mammifères asiatiques a soudain envahi l'Inde et, rapidement, a éliminé les marsupiaux, beaucoup moins évolués, qui dominaient le pays jusqu'alors. C'est ce qui se passera sans doute dans 10 ou 15 millions d'années, lorsque le contact entre l'Australie et l'Asie se manifestera autrement que par un chapelet d'îles compliqué.

– *L'Australie va aussi se coller à l'Eurasie ?*

– Bien sûr. Comme tous les blocs de l'ancien Gondwana qui remontent actuellement vers le nord.

– *C'est uniquement la trace des mammifères passant à pied sec d'un continent à l'autre qui permet de dater le contact ?*

– Non. Nous avons aussi un autre indice. Au nord de l'Everest, mais au sud de la suture entre les deux continents, les sédiments changent de façon spectaculaire vers 55 millions d'années. On se retrouve dans un environnement continental de grès rouges, alors qu'on avait des sédiments marins : des calcaires bourrés de fossiles, les *nummulites.*

– *Qu'est-ce que des nummulites ?*

– Des petits organismes qui ressemblent à des pièces de monnaie et vivent dans les eaux peu profondes. Les pyramides d'Égypte sont construites en calcaire nummulitique récent.

– *On trouve des coquillages marins dans l'Himalaya ?*

– Oui. Ça impressionne tout le monde, mais Buffon le savait déjà. Il y a des roches sédimentaires à n'importe quelle altitude. Vers 5 600 mètres, on rencontre des calcaires qui se sont déposés au fond d'une mer littorale, il y a seulement 55 millions d'années. Et au sommet de l'Everest, à 8 880 mètres, se trouvent des calcaires beaucoup plus anciens qui se sont formés jadis au fond d'un océan.

– *Je suppose que l'Himalaya continue à monter ?*

– Absolument. C'est même l'événement géologique le plus

important de la planète. Mais la chaîne ne date pas du début de la collision. Il semble que, dans les premiers temps, le glissement de la plaque qui plongeait se soit fait sans trop de frottements. La fabrication des reliefs spectaculaires n'a commencé qu'il y a une vingtaine de millions d'années.

– *Le mouvement se poursuit au même rythme ?*

– Il est clair que, à l'instant de la collision, il y a eu un fort ralentissement. De 12 centimètres par an, la vitesse de rapprochement entre l'Inde et la Sibérie est tombée en quelques millions d'années à 5 centimètres par an. Mais l'Inde continue de se faire raccourcir de 2 centimètres chaque année, au fur et à mesure de l'avancée de la plaque.

## *Le continent fantôme*

– *Les montagnes se fabriquent aux dépens du sous-continent indien ?*

– Seulement l'Himalaya. Pas toutes les autres grandes montagnes d'Asie centrale et du Tibet. Elles correspondent aux 3 centimètres qui restent. Mais si cela continue ainsi, l'Inde, qui est plus petite que l'Asie, risque de se retrouver totalement compactée. Sous l'Himalaya, des centaines de kilomètres se sont déjà enfoncés. À terme, elle peut s'évanouir totalement, transformée en chaîne de montagnes. Avec un océan devant et, dessous, le plancher de l'océan Indien qui sombre…

– *Connaît-on un cas de continent perdu ?*

– Peut-être. Il n'est pas impossible qu'un continent entier ait disparu en Amérique du Sud. Entre le sud du Pérou et le nord du Chili, la cordillère des Andes forme une sorte de rentrant, comme si elle avait été emboutie sur son bord est. Or, au même endroit, elle s'élargit pour former un haut plateau, l'Altiplano, le deuxième de la Terre, après le Tibet. On peut donc penser qu'il cache les restes d'un continent disparu, porté par la plaque Nazca qui continue à s'enfoncer sous les Andes.

– *L'Himalaya monte donc de 5 centimètres par an ?*

– Non ! L'avancée de la plaque se traduit ici par des phénomènes plus lents. Je vous l'ai dit : la surrection de l'Himalaya est liée en grande partie à la pente du plan incliné qui s'enfonce dessous. Le mouvement de surrection n'est que de 10 millimètres par an.

– *Comment peut-on mesurer cette vitesse ?*

– Grâce aux rivières, qui continuent à creuser. Elles incisent la montagne. On peut voir que leurs anciens lits se trouvaient à 100 ou 200 mètres au-dessus du lit actuel. On les date, et on sait combien de temps la rivière a mis pour creuser jusque-là. Si la rivière est restée à la même altitude, cela signifie que l'incision correspond en fait à la montée de la montagne.

– *Et à quelle vitesse l'Inde rétrécit-elle ?*

– New Delhi se rapproche de l'Everest au rythme de 2 mètres par siècle.

– *Les frontières entre les plaques sont-elles toujours matérialisées par des chaînes de montagnes ?*

– Pas partout. Elles sont souvent marquées par des rifts. Ce sont des systèmes de failles d'effondrement encadrant d'étroits couloirs qui finissent par être envahis par les eaux. L'inverse des montagnes, en quelque sorte. Il y a deux grands types de frontières de plaques, qui correspondent soit à un rapprochement, soit à un écartement. Elles manifestent une vie géologique extraordinaire. Les hommes ont remarqué depuis longtemps ces lignes formées par les arcs volcaniques et les chaînes de montagnes. La cordillère des Andes n'a que 100 kilomètres de large, en moyenne, pour 20 000 kilomètres de long. Même distance pour la dorsale qui court au milieu de l'océan Atlantique et dont la largeur n'excède guère 30 kilomètres. Mais il existe d'autres frontières, plus rares, et qui sont les plus dangereuses pour les concentrations humaines, car elles empiètent souvent sur les continents.

## *Frottements dangereux*

– *Il s'agit toujours de frontières de plaques ?*

– Oui. Ce sont les frontières latérales. Les plaques ne se rapprochent pas, elles ne s'écartent pas : elles coulissent. L'une progresse dans une direction, l'autre est stable ou avance dans la direction opposée, comme deux voitures qui se doublent ou se croisent. Les deux plaques frottent tout le long de ces failles, appelées transformantes, provoquant de grands séismes.

– *Les séismes correspondent à des failles le long desquelles deux plaques coulissent ?*

– Des essaims de petits séismes, fréquents, sont souvent associés au volcanisme. Mais les plus grands, d'origine tectonique, sont plus espacés dans le temps. Ils se produisent sur des failles qui matérialisent des frontières de plaques. Surtout les zones de subduction et les failles transformantes. En Asie, par exemple, il existe ainsi une grande faille de coulissage au nord du Tibet. Silencieuse. Malgré ses 2 000 kilomètres de longueur, elle n'a pas frémi depuis que le sismographe a été inventé, il y a cent dix ans. Pourtant, elle porte les cicatrices de plusieurs séismes, vieux de plusieurs siècles.

– *Qu'est-ce qu'une faille exactement ?*

– Ce n'est pas une crevasse béante, comme certains l'imaginent. Ni une fissure : celles-ci existent, mais elles s'ouvrent. Une faille, c'est une cassure le long de laquelle glissent l'un contre l'autre deux massifs rocheux. Si l'on garde les pieds sur Terre, les failles sont parfois difficiles à repérer. Mais depuis un avion ou un satellite, elles apparaissent distinctement. Ce sont des balafres extraordinaires. Des lignes, comme taillées au rasoir, que l'on suit sur des centaines ou des milliers de kilomètres.

– *Comment se produit un grand tremblement de terre ?*

– Une plaque avance par rapport à sa voisine, disons de 5 centimètres par an. C'est-à-dire 5 mètres par siècle. Le mouvement est inexorable, mais le long de la faille qui les sépare tout reste bloqué. Ça coince. Il s'accumule ainsi une énergie de plus en plus importante. Des forces qui tordent les roches, déforment une partie des plaques. Soudain, un jour, quand les tensions et la déformation atteignent une ampleur supérieure à la résistance mécanique des roches, il se produit un glissement monstrueux. En quelques secondes, le ressort rattrape tout le mouvement accumulé. Si ça coinçait depuis un siècle, le bord de la plaque avancera de 5 mètres. L'énergie élastique accumulée s'est relâchée d'un coup, permettant à la zone de combler le retard pris pendant cent ans.

– *Peut-on prévoir les futurs grands séismes ?*

– En gros, oui. La vitesse de déplacement de la plaque est un paramètre essentiel. Des séismes comme celui du Bihar-Népal, en 1934, ou de l'Assam, en 1950, fabriquent d'un coup 10 mètres de déplacement. 10 mètres, à la vitesse de 2 centimètres par an, ça veut dire cinq cents ans entre deux séismes. D'autres failles ont tout de même un rythme plus rapide. On attend, par exemple, le retour imminent d'un tremblement de terre en Californie.

### *En attendant le Big One*

– *« Imminent », cela signifie un an ou dix ans ?*

– Dix ans, vingt ans... Mais cela peut aussi se produire demain. Entre la plaque Pacifique et la plaque Amérique du Nord, c'est la faille de San Andreas qui coulisse. La Californie côtière, attachée à la plaque Pacifique, fonce vers l'Alaska à la vitesse de 3 à 4 centimètres par an. Dans quelques millions d'années, Los Angeles, qui n'est pas située du même côté de la faille, va doubler San Francisco. En 1857, s'est produit un déplacement brutal de 5 mètres, sur une longueur de 300 kilomètres, à l'est de Los Angeles. En 1906, un demi-siècle plus tard, un glissement de près de 7 mètres, sur une distance de 400 kilomètres, a eu lieu dans la région de San Francisco. Or, depuis, il ne s'est rien passé. La faille est bloquée. En réalité, les plaques continuent à bouger de façon continue. Mais, en surface, comme les roches sont froides, elles sont rigides, résistent et ne progressent que par saccades brutales.

– *Et comment le prochain à-coup est-il prévisible ?*

– On connaît la vitesse moyenne de glissement sur la faille : environ 3 centimètres et demi par an de progression des plaques. On peut donc calculer facilement combien de mètres de retard le blocage entraîne, et combien de temps il faut pour que cette longueur de retard soit égale au glissement soudain provoqué par le dernier séisme. Près de Los Angeles, ce glissement est de 5 mètres. Dans le sud de la Californie, la faille de San Andreas a donc tendance à fabriquer un grand tremblement de terre tous les 150 ans. Ce n'est certes pas une horloge, cependant : 1857 + 150 ans, ça fait 2007. À raison de 3 centimètres par an, la faille a déjà accumulé un décalage de 5 mètres. Mais, plus au sud, vers Palm Springs, là où sont les milliardaires du show-biz, il ne s'est rien passé depuis bien plus longtemps. C'est sans doute là que se déclenchera le *Big One*, de magnitude 8, au moins, sur l'échelle de Richter. L'alarme clignote désormais, et l'on se dépêche actuellement de mettre aux normes sismiques tous les vieux bâtiments.

– *L'échelle de Richter ?*

– Elle sert à mesurer la force des séismes. Les plus grands atteignent une magnitude de 9. Ceux de magnitude 3 commencent à être perceptibles par nos sens. Mais, comme il s'agit d'une échelle logarithmique, les degrés de magnitude sont trompeurs. Ainsi, un séisme de magnitude 8 dissipe trente fois plus d'énergie qu'un séisme de magnitude 7 !

– *Est-ce que les autres mouvements de plaques – convection et subduction – s'accompagnent aussi de séismes ?*

– Bien sûr. Pratiquement aucun mouvement tectonique de surface ne se produit de manière continue. C'est le royaume des saccades. Et chacune est un tremblement de terre. Les milliers de petits séismes que l'on observe le long des dorsales sont des à-coups de séparation sur ces failles. Et les milliers de grands séismes que l'on enregistre chaque année dans les zones de subduction sont des saccades provoquées par le glissement d'une plaque sous l'autre. 80 % de l'énergie sismique relâchée sur la planète est le fait de la subduction.

## *L'ultime bouton*

*– On connaît toutes les failles aussi bien que celle de San Andreas ?*

– Non, malheureusement. Seulement certaines, comme en Turquie, où l'on se trouve face à un problème similaire à celui qui menace la Californie. La faille nord-anatolienne glisse de 2 centimètres par an. On sait que, depuis 1939, la faille s'est brisée, segment après segment, de l'Arménie au golfe d'Izmit. Tous les séismes se sont enchaînés d'est en ouest. Comme si je tirais sur ma chemise et que les boutons sautaient les uns après les autres. Le dernier bouton se trouve sous la mer de Marmara, au sud d'Istanbul. On attend la catastrophe. Selon que cela se brisera d'un coup ou en plusieurs secousses, on aura affaire à un très gros tremblement de terre ou à plusieurs plus petits. Mais, de toute façon, on s'attend à des événements dont la magnitude sera comprise entre 7 et 7,6.

*– Les failles peuvent donc être sous-marines, comme les volcans ?*

– Bien entendu. Le principe est simple : si l'on resserre les deux pierres de part et d'autre d'une clé de voûte, celle-ci remonte. C'est une montagne. Mais si on les écarte, la clé de voûte descend. Cela s'appelle un rift. Et ça se remplit d'eau.

– *Ça se remplit brusquement ?*

– C'est possible. Mais, en général, dès qu'un rift commence à former un creux, il y a de l'eau qui trouve son chemin. Des lacs se forment. Puis on passe des lacs à la mer. Comme cela se produira sûrement avec le lac Baïkal. C'est le plus grand rift continental du monde : 1 620 mètres de profondeur, 700 kilomètres de long, 70 kilomètres de large. Il contient à lui seul 20 % des réserves d'eau douce liquide de la planète. C'est une petite mer sans sel. On y trouve même des dauphins et des phoques d'eau douce. Ce lac étonnant se situe à plusieurs centaines de mètres d'altitude. Petit à petit, il va continuer à s'étendre, à se propager, à s'allonger. Il finira par rejoindre la mer. Et cela se fera sans doute tranquillement.

## *Quand la Méditerranée s'est asséchée*

– *Il ne s'est pas produit quelque chose d'analogue avec la mer Noire ?*

– Si. Jadis, la mer Noire était un lac et, il y a 6 millions d'années, la Méditerranée était un marais salant…

– *Que s'était-il passé ?*

– Elle avait été séparée de l'océan Atlantique par les montagnes de l'arc de Gibraltar. Plus de détroit : cette chaîne reliait l'Espagne et le Maroc de manière continue. La Méditerranée était alimentée par ses grands fleuves : Rhône, Nil, Pô... Et aussi les fleuves espagnols. Mais ce n'était pas suffisant. Son niveau a baissé à 2 000 mètres en dessous du niveau global des mers. Elle était presque asséchée.

– *Comment a-t-elle retrouvé son eau ?*

– Les grands fleuves se sont mis à inciser leurs vallées de manière prodigieuse. Cela a duré quelques dizaines de milliers d'années. Une petite rivière à la noix a fait la même chose du côté de Gibraltar : elle a rongé la cordillère jusqu'à l'Atlantique. À ce moment-là : des cataractes ! La Méditerranée s'est remplie en un temps record, en quelques milliers d'années seulement.

– *Une catastrophe ?*

– Terrible. La remontée des eaux a rempli la vallée que le Nil venait de creuser jusqu'à Assouan, où l'on trouve des dépôts marins. Puis, peu à peu, le Nil a apporté ses limons d'Éthiopie et fait reculer la mer en formant son delta actuel. Le Nil est un fleuve extraordinaire.

– *Il paraît que l'on a retrouvé des villages sous la mer Noire, sur des rivages anciens.*

– Attention ! Cela est beaucoup plus récent. C'était seulement il y a 12 000 ans. Le Bosphore, frontière entre la Turquie d'Europe et l'Asie, n'est qu'une rivière profonde de quelques dizaines de mètres. Lorsque les niveaux des mers étaient plus bas, au temps de la glaciation, la communication entre la Méditerranée et la mer Noire, *via* la mer de Marmara, était sans doute interrompue. On passait à pied sec d'Asie en Europe, comme d'Angleterre en France, ou de Sibérie en Alaska. Déconnecté de l'océan mondial, le niveau de la mer Noire a pu baisser plus que celui de la Méditerranée. Et, lors de la déglaciation, le niveau de la Méditerranée remontant plus vite, elle s'est sans doute déversée dans la mer de Marmara, puis, à travers le Bosphore, dans la mer Noire.

– *Quelle est la différence entre une mer et un océan ?*

– Pour les géographes, c'est une simple question de taille. Pour les géologues, la distinction importante c'est la différence entre croûte océanique et croûte continentale. Ce n'est pas toujours simple : la Méditerranée, par exemple, est une mer composite dans laquelle il existe de la croûte océanique, comme dans le golfe du Lion. Il en reste aussi dans le bassin Ionien. L'Adriatique, en revanche, n'a pas du tout de croûte océanique. C'est une mer continentale.

– *Et la mer Noire ?*

– Compliquée aussi. La mer Noire et le sud de la Caspienne ont probablement des restes de croûte océanique. En fait, dès que l'on rencontre des profondeurs de 3 000 mètres avec des sédiments, le fond est probablement celui d'un ancien océan. Mais d'autres mers ne sont que des avatars climatiques. La Baltique, par exemple, est le reliquat de la dépression créée par l'enfoncement de la Finlande et de la Scandinavie sous le poids de la calotte glaciaire. Même chose pour la baie d'Hudson.

– *Manche et mer du Nord ne sont pas profondes non plus…*

– Non, elles n'ont pas de croûte océanique.

– *Les mers continentales sont des sortes de lacs salés ?*

– Oui. Des lacs sans déversoir. Des culs-de-sac. C'est pour cela qu'ils sont salés.

– *D'où vient le sel ?*

– Des roches. L'eau venue des rivières lave les sols et les dissout.

– *Pourquoi les lacs, qui peuvent pourtant être très grands, ne concentrent-ils pas le sel ?*

– Ils le font. Tous les lacs qui n'ont pas de déversoir, comme la mer d'Aral ou le lac Tchad, sont salés. Ailleurs, l'eau ne fait que passer, comme dans les lacs alpins ou le lac Baïkal. Les mers continentales, comme la Caspienne ou la mer Morte, sont alimentées par un ou plusieurs fleuves. Mais seule l'évaporation évacue l'eau. Le sel s'y concentre donc. Une étendue d'eau fermée se transforme inéluctablement en marais salant.

### *Un océan est en train de naître*

– *Triste fin. Connaît-on actuellement des bébés océans ?*

– Oui. La mer Rouge, par exemple, est un océan en train de s'ouvrir. L'Arabie est une petite plaque qui s'écarte de l'Afrique, le long d'un rift encore jeune. La mer Rouge, qui n'a encore que 200 kilomètres de large, communique avec l'océan Indien. Elle se prolonge par la faille de la mer Morte, avec de petits reliefs, comme le mont Liban.

– *Elle s'ouvre rapidement ?*

– 15 millimètres par an, au centre. Mais au sud, entre le sultanat d'Oman et l'île de Socotra, qui appartient au Yémen mais se trouve au large des côtes somaliennes, le golfe d'Aden s'ouvre à la vitesse de 3 centimètres par an. À Djibouti, c'est plutôt 2 centimètres.

– *Quel océan s'ouvre le plus vite ?*

– Le Pacifique. La plaque Nazca, au large du Pérou, s'écarte de la plaque Pacifique à la vitesse très élevée de 16 centimètres par an.

– *Et l'Atlantique ?*

– New York et Paris s'éloignent au rythme de 2 centimètres et demi par an.

– *Les prix des billets d'avion vont flamber ! Je suppose que, à l'autre bout des plaques, les vitesses de convergence sont du même ordre.*

– Cela dépend, mais dans ce cas précis il s'agit de l'arc des Caraïbes que nous surveillons de près, à cause du volcanisme, mais aussi des séismes. Le plancher de l'Atlantique s'enfonce sous celui des Caraïbes à la vitesse de 2 centimètres par an.

– *Et pendant ce temps-là, la Méditerranée se ferme.*

– Lentement. Alger se rapproche de Marseille au rythme de 6 millimètres par an. Le ballet des plaques n'épargne aucune zone de la planète. L'Arabie remonte vers le nord de 3 centimètres par an. L'Australie fonce sur l'Asie à raison de 9 centimètres par an, ce qui fabrique en Nouvelle-Guinée, promontoire de la plaque australienne, des montagnes de 5 000 mètres d'altitude. La collision se fait dans une zone effroyablement compliquée : Indochine, Sumatra, Bornéo, Java, et la plaque Pacifique qui fonce vers l'est à 9 centimètres par an aussi. Trois plaques convergent dans cette zone qui termine les grandes chaînes d'Eurasie : l'Himalaya, le Zagros, les Carpates, les Alpes, l'Atlas… 10 000 kilomètres d'est en ouest.

– *C'est la seule zone de convergence très importante ?*

– Non, il en existe une autre, orientée nord-sud : la cordillère canadienne, les montagnes Rocheuses et la cordillère des Andes.

– *Elle est aussi longue ?*

– Oui. 15 000 kilomètres.

## *Les cimetières d'océans*

– *Comment arrive-t-on à décrire tous ces mouvements avec certitude ?*

– On arrive maintenant à faire une sorte de scanner de la planète, en utilisant les ondes sismiques qui la traversent, qui descendent et remontent. Celles-ci voyagent plus vite dans les zones froides et plus lentement dans les endroits chauds. Cela permet d'établir une carte de la Terre. On arrive à reconstruire une image assez fine du manteau, avec en bleu les zones froides et en rouge les zones chaudes. On voit bien le rouge remonter là où l'on a des rifts et des dorsales. On observe aussi des plaques océaniques qui s'enfoncent : des zones froides, bleues, descendent en biais, très profondément, pratiquement jusqu'au noyau. Là se trouvent de grands cimetières de plaques. Elles se sont accumulées tout au fond du manteau, parce qu'elles ne peuvent pénétrer à l'intérieur du noyau.

– *On arrive à suivre les anciens planchers océaniques jusqu'au cœur de la Terre ?*

– Et c'est fascinant ! Les plaques qui s'enfoncent continuent à frissonner de séismes. Jusqu'à 700 kilomètres, on peut encore les détecter. Après, plus rien.

– *Où le spectacle est-il le plus impressionnant ?*

– Il existe deux grandes régions passionnantes : la zone de convergence alpine et les cordillères américaines, dont l'extrémité profonde se situe à peu près sous Chicago et Boston ! C'est une échelle impressionnante... Quant à la zone alpine, elle nous intéresse directement, parce que la Méditerranée n'est qu'une mer résiduelle qui a commencé à se fermer il y a plus de 150 millions d'années.

– *Vous expliquiez qu'une des grandes originalités de la Terre, qui a permis l'émergence de la vie, c'est la présence d'eau liquide. Mais on a l'impression que, à travers les océans, l'eau est aussi chef d'orchestre de la tectonique des plaques.*

– Pas vraiment. Le moteur de la tectonique des plaques, c'est la convection du manteau. L'eau ne fait que remplir les océans, dont le plancher est plus bas. Mais elle intervient partout : elle refroidit et altère le basalte, fait fondre les roches, charrie les sédiments, agit comme un redoutable agent d'érosion.

## *Gorges profondes*

– *En aplanissant les montagnes ?*

– En sculptant la géographie qui nous émerveille aujourd'hui. Les canyons, par exemple. Il n'y a pas que celui du Colorado. Savez-vous d'où viennent les gorges du Verdon, du Tarn, de l'Avise, de l'Ardèche, de la Durance ? De l'assèchement de la Méditerranée, dont le niveau a baissé de 2 000 mètres ! Toutes ces rivières, qui, à l'époque, se jetaient dedans, ont vu leur pente augmenter considérablement. Elles se sont mises à creuser beaucoup plus efficacement : plus la pente est raide, plus le courant est fort, plus il peut charrier de sable et de galets qui érodent. Car ce n'est pas l'eau qui entaille les montagnes, mais les cailloux qu'elle transporte.

– *Mais le Tarn n'est pas une rivière méditerranéenne.*

– De nos jours, non. Il se jette dans la Garonne et par conséquent dans l'Atlantique. Mais on pense qu'il se jetait jadis dans la Méditerranée, avant de se faire capturer par un affluent de la Garonne. Sinon, ses gorges spectaculaires seraient inexplicables.

– *Les mouvements des eaux ont vraiment rythmé l'histoire des hommes.*

– Oui. Les Sumériens, qui ont inventé l'écriture, possédaient, 9 000 ans avant notre ère, la civilisation la plus avancée. Ils dominaient alors la basse Mésopotamie. D'où venaient les Sumériens ? On commence à en avoir une petite idée. Ils se définissaient eux-mêmes comme le peuple de la mer. Or, aujourd'hui, on peut reconstituer l'histoire de la remontée du niveau des eaux marines, entre 14 000 et 9 000 ans. On sait que le golfe Persique, qui n'est qu'une mer continentale sans plancher océanique, n'est guère profond : quelques dizaines de mètres. Mais, à l'époque de la glaciation, ce devait être une plaine fertile, alimentée par le Tigre et l'Euphrate, mais aussi par les fleuves du Zagros iranien. Donc, une plaine riche, abondamment irriguée. Et, soudain, la mer commença à monter : 2 centimètres par an. Sur des pentes très faibles, ça s'est traduit par une avancée du rivage marin de plusieurs centaines de mètres par an. Les anciens Sumériens ont dû abandonner le terrain et refluer massivement vers la région qui est aujourd'hui le delta du Tigre et de l'Euphrate.

– *Dans cette histoire, c'est en fait la modification du climat qui est à l'origine du bouleversement.*

– Le rôle de l'océan dans les climats est extraordinairement important. C'est lui, plus que l'atmosphère, qui effectue les grands transferts de chaleur. C'est lui qui fixe le gaz carbonique et produit l'oxygène. On parle souvent des forêts équatoriales comme des poumons de la planète. C'est inexact. Elles sont certes très importantes, mais la principale pompe à gaz carbonique, et de très loin, c'est le plancton végétal de l'océan.

– *La disparition de ces grandes forêts aurait tout de même un impact sur la fragilisation des sols, l'érosion, la désertification… Donc, le climat et la géographie.*

– Bien sûr. Mais tout cela, c'est à court terme. On a pu voir, dans le passé, comment des zones désertiques sont devenues tropicales humides, ou le contraire. La Terre s'accommode de tout ça : les continents voyagent vers d'autres cieux où les températures et le régime des pluies changeront tout.

– *À l'époque où des hommes pêchaient dans ce qui est aujourd'hui le Sahara, la région était-elle située plus au nord ?*

– Non. Le Sahara où poussait du blé et où coulaient des rivières est extrêmement récent.

## *Quand nos lacs étaient des glaciers*

– *Mais pourquoi était-il plus humide, il y a 12 000 ans ?*

– Les calottes glaciaires du nord de l'Europe descendaient quasiment jusqu'à Bruxelles. Elles recouvraient totalement les Alpes, avec de grandes langues qui descendaient jusqu'à Lyon ou la plaine du Pô. Tous les grands lacs que nous voyons aujourd'hui : lac de Constance, lac Léman, lac Majeur, lac de Garde, etc., correspondent à des bouts d'anciens glaciers.

– *Et d'où venait la pluie ?*

– Quand les glaciers descendent jusqu'à 40° Nord, vous imaginez bien que les autres ceintures climatiques descendent. La zone tempérée se trouvait donc au Sahara, où l'on avait alors de grandes prairies.

– *Et lorsque ça se réchauffe, les problèmes d'eau apparaissent.*

– Oui. Au Proche-Orient, il y a 15 000 ans, il faisait assez froid. Il pleuvait abondamment. Là aussi, c'était la steppe, où vivait une population dispersée. Le climat a changé. Toutes les grandes zones climatiques sont remontées vers le nord. Sous l'effet de la chaleur et de la sécheresse, la région s'est progressivement désertifiée. Sauf dans les vallées des grands fleuves, où tout le monde s'est retrouvé : vallées du Nil, du Jourdain, du Tigre, de l'Euphrate, et certains endroits de la côte méditerranéenne.

– *Et ce sont ces concentrations de populations qui ont donné naissance à la civilisation.*

– Oui. Elles ont imposé des règles de vie en commun, une organisation. Aussi bien à Sumer qu'en Égypte ou en Palestine… La Terre promise de Moïse n'est rien d'autre que le seul endroit où il y a de l'eau dans cette région désertique. Le Proche-Orient offre une association rare de grands sites géologiques : la vallée du Jourdain, qui est une grande faille correspondant à la frontière entre la plaque Afrique et la plaque Arabe ; le Nil ; le golfe Persique… Trois grandes structures géophysiques, une modification climatique, et l'histoire de l'humanité est totalement bouleversée par la naissance de nouvelles civilisations. Bel exemple des liens étroits entre la vie de la terre et celle des hommes…

### *Cataclysmes annoncés*

*– Et pour l'espèce humaine, le grand démarrage a correspondu à la fin de la glaciation.*

– Il est sûr que ce changement climatique a eu un impact phénoménal. La géographie a été bouleversée. Depuis que le niveau des océans est monté de 120 mètres, le contour des côtes n'a plus rien à voir avec ce qu'il était précédemment. Les hommes ont vécu ce phénomène impressionnant. Il n'est pas impossible qu'il soit la source des diverses légendes de déluge qui existent dans plusieurs régions de la planète. La basse Mésopotamie, terre des supposés Abraham et Noé, est l'une d'elles. Là, la civilisation humaine a été particulièrement menacée. Les hommes – et les animaux – ont été obligés de fuir, de changer d'environnement. On peut comprendre que cette catastrophe ait frappé les esprits de façon durable.

*– Curieux comme les humains s'entassent toujours dans les endroits dangereux. Les zones inondables on comprend : c'est à cause des alluvions fertiles. Mais les volcans ?*

– Ce sont également des zones fertiles. Et puis, là où il y a des volcans, des montagnes, des séismes, des failles, la Terre vit. Je crois que nous sommes magnétiquement attirés par les paysages géologiques les plus actifs, parce que ce sont les plus beaux. Une grande plaine toute plate, c'est ennuyeux.

*– C'est vrai que le Massif central avec ses volcans est plus séduisant que la Beauce. Et, en plus, il n'est même plus dangereux.*

– Pas si sûr. Le Massif central français est fissuré par des alignements volcaniques : la chaîne des Puys, qui n'est pas vieille du tout. La dernière éruption date de moins de 7 000 ans.

*– Et ça peut recommencer ?*

– Bien entendu ! Il y a un grand volcan, le Plomb du Cantal, qui est du même type que l'Etna, mais ses chambres magmatiques se sont figées depuis longtemps. Celui-là est bien mort. Les Puys, en revanche, qui ont donné des éruptions magnifiques et éphémères, sont très jeunes. Une éruption dans cette chaîne est tout à fait possible. Mais ces Puys sont tout de même beaucoup moins dangereux que les volcans italiens, comme le Vésuve.

*– Les volcans italiens sont, eux, en pleine activité. Il se produira d'autres grandes éruptions ?*

– Ça, c'est certain. Et avec la concentration de population, Naples est la ville la plus menacée du monde. Il y aura forcément un désastre.

*– Mais les zones à tremblements de terre n'ont, elles, rien de particulièrement attirant !*

– Si. San Francisco est une baie tectonique. Ce qui sépare Oakland et Berkeley d'un côté, de San Francisco et Sausalito de l'autre, c'est un bassin qui s'ouvre entre deux branches de la faille de San Andreas. Un endroit magnifique, où les bateaux peuvent s'abriter. Même chose pour la faille nord-anatolienne. Le site d'Istanbul est exceptionnel grâce à la mer de Marmara défendue par deux détroits et antichambre de la mer Noire. Les zones de grande activité sismique correspondent à des passages compliqués, mais qui ont fourni des refuges et des havres favorables à l'épanouissement de l'homme.

– *C'est vrai que les steppes sont en général assez peu peuplées. Ce sont les territoires des nomades.*

– Même eux ont besoin d'accidents tectoniques pour survivre ! Il ne faut pas oublier que les reliefs sont aussi des châteaux d'eau. Le choc Inde/Asie a fabriqué l'Himalaya, mais aussi d'autres montagnes, jusqu'au beau milieu de l'Asie centrale. À leurs sommets, de la glace est stockée. Elle alimente des rivières qui coulent vers le désert, où éclosent les chapelets d'oasis qui ont permis aux caravanes de passer. Sinon, personne n'aurait pu traverser les déserts de Gobi, qui sont des endroits épouvantables. Sans la collision des deux continents, la route de la soie n'aurait pas pu exister. La Terre n'a pas besoin des hommes pour rester vivante, mais les hommes ne sont pas près de pouvoir se passer des ardeurs de la Terre.

ACTE 3

# *La Terre des hommes*

SCÈNE 1

# La colonisation

Les voici donc, les hommes… Discrets durant nos premiers millions d'années, nous avons ensuite fait main basse sur la Terre avec une rapidité époustouflante..

## *Nature et cultures*

– *L'apparition de la vie a profondément modifié la jeune Terre. Quand l'espèce humaine a-t-elle commencé, elle aussi, à transformer de manière visible l'environnement ?*

– **Lester R. Brown** : Probablement il y a quelque 400 000 ans, lorsque nos ancêtres se sont mis à utiliser le feu de manière importante. Il avait été domestiqué bien plus tôt : les traces de feu de bois dans la grotte de l'Escale, près de Marseille, ont 750 000 ans. Mais le nombre des hommes était alors si faible que les effets ont dû être minimes. En tout cas, nous ne connaissons guère d'impacts de l'homme sur l'environnement quantifiables avant une époque récente.

– *C'est-à-dire ?*

– Il y a 11 000 ans, lorsque les chasseurs se sont mis à exterminer des troupeaux de grands mammifères. Certaines espèces ont même disparu. Cela s'est produit sur une grande échelle, mesurable. Mais c'est surtout avec les débuts de l'agriculture que nous avons réellement commencé à remodeler la planète de manière spectaculaire. Nous avons supprimé, en gros, un dixième de toute la végétation sauvage au profit de l'agriculture, et autant pour l'élevage.

– *Est-ce vraiment un problème pour la Terre ? Au cours de ses milliards d'années d'existence, des forêts ont laissé place au désert, des déserts sont devenus forêts...*

– Il faut être honnête : ce que nous jugeons bon ou mauvais dépend essentiellement de la manière dont nous en sommes affectés. La Terre, elle, se moque bien de notre histoire, qui se déroule sur une durée dérisoire. Bien sûr, avec ou sans nous, les continents continueront à dériver, des océans naîtront, des montagnes s'élèveront. Au cours des milliards d'années à venir, des espèces disparaîtront, d'autres apparaîtront. Mais ce qui nous intéresse dans l'histoire de cette planète, c'est nous et nos descendants. Ce qui nous concerne, directement ou indirectement.

### *Le sel des Sumériens*

– *Était-il possible de prévoir les conséquences à long terme de tout ce qui paraissait constituer un progrès ?*

– Non, bien sûr. Au cours de l'histoire, dans certaines régions du monde, l'action des hommes a pu avoir des effets négatifs très importants, dont ils n'ont pris conscience que trop tard. Des civilisations ont disparu à cause d'une mauvaise gestion de l'environnement. Voyez les Sumériens !

*– Le fameux peuple de la mer, dont parlait Paul Tapponnier ? Avec eux a commencé l'Histoire, puisque, les premiers, ils inventèrent le langage écrit…*

– Et ils ont dû être largement aussi excités par cette invention que nous le sommes par Internet ! Les Sumériens bâtirent aussi les premières villes. Et, surtout, ils développèrent, sur une grande échelle, un système d'irrigation très sophistiqué en termes d'ingénierie. C'était une société remarquable. Mais il y avait un point faible dans le savoir-faire des Sumériens : ils n'avaient pas prévu ce qui allait se passer après qu'ils eurent construit des digues et des canaux à travers tout le pays. Avec le temps, l'eau s'infiltra peu à peu et le niveau de la nappe phréatique monta doucement. L'eau s'était chargée du sel contenu dans les roches. Elle commença à s'évaporer dans l'atmosphère, mais pas le sel qu'elle contenait et qui, au fil du temps, s'était concentré. La salinisation des terres conduisit à une baisse de la production agricole, qui réduisit les ressources alimentaires, entraînant la chute de cette grande civilisation.

*– Une telle dégradation des sols a-t-elle été un phénomène fréquent au cours de l'Histoire ?*

– Oui. Les Mayas aussi ont décliné à la suite de leur mauvaise gestion de l'environnement. Quant à la Grèce antique, elle avait besoin de bois pour construire ses navires. Elle a coupé ses forêts. Résultat : l'érosion a emporté les sols. Depuis, sur la roche presque à nu, ne pousse qu'une végétation dégradée, de type semi-désertique. Il ne faut pas oublier qu'entre les plantes et le sol, il existe une relation de symbiose. Le sol nourrit les plantes et supporte leur vie. Les plantes fabriquent le sol et le protègent. Or, aujourd'hui, on constate une lente dégradation des sols de la Terre.

– *Partout ?*

– Presque. La quantité de sol qui s'était constitué durant les temps géologiques a maintenant commencé à diminuer. Pas depuis longtemps : un siècle, plus ou moins. Mais nous sommes en train de consommer un important capital naturel de notre planète qui, par là même, devient moins productive. Sans apports massifs d'engrais, les récoltes s'effondrent. Dans certaines régions, c'est catastrophique. Comme au Kazakhstan, qui faisait partie des anciens territoires vierges de l'Union soviétique, où les champs de blé s'étendaient jusqu'à l'horizon. Les films de propagande y montraient des armées de moissonneuses-batteuses conduites par des ouvriers modèles chantant en travaillant. Le Kazakhstan a perdu la moitié de ses terres agricoles depuis 1980 à cause de l'érosion. Et la productivité des champs restants se situe désormais autour de 900 kilos de blé à l'hectare. À comparer aux 7 ou 8 tonnes à l'hectare que l'on peut obtenir sur des sols riches.

– *Pourtant, le Kazakhstan est plat. Ce ne sont pas les pluies d'orage et les rivières qui emportent la terre, comme en Grèce ou en Andalousie.*

– L'eau n'est pas le seul agent d'érosion d'un sol qui n'est plus fixé par les racines des plantes. Il y a aussi le vent. En Chine du Nord, les tempêtes de poussière sont devenues de plus en plus fortes. Et plus fréquentes. Elles débutent généralement en mars et durent jusqu'en mai. Les villes en subissent de si grandes que l'absence de visibilité oblige les voitures à rouler très lentement. Comme dans le brouillard. Au

Japon, en mars 2001, certaines préfectures du Nord ont vu tomber de la neige jaunâtre. C'était le sol chinois ! Quinze membres de la Diète japonaise et huit membres du Parlement coréen ont formé un groupe de travail. Ils ont rencontré leurs homologues chinois pour tenter de définir une stratégie pour lutter contre ces tempêtes de poussière. Elles posent parfois, comme à Pékin, de graves problèmes de santé.

*– Oui, mais là, le phénomène est ancien : est-ce qu'il ne s'agit pas de sable venu du désert de Gobi ?*

– Aussi, c'est vrai. Mais, depuis quelques années, le vent porte jusqu'à Pékin de la terre desséchée venant des zones agricoles et côtières du Sud-Est. À cause du surpâturage et du surlabourage.

### *La Chine pleut sur le Colorado*

*– Et cela a des effets même au-delà de la Chine ?*

– Forcément. Au début du mois d'avril 2001, une gigantesque tempête de poussière a parcouru tout le chemin jusqu'aux États-Unis. À Aspen, dans le Colorado, on a analysé les particules en suspension dans l'air : elles venaient de cette tempête de poussière chinoise.

*– Certes, mais ce genre de phénomène a toujours existé. De temps à autre, l'Europe aussi est saupoudrée de sable venu du Sahara.*

– Sans doute. Ce qui est différent aujourd'hui, c'est l'échelle, l'ampleur de phénomènes qui se manifestaient jadis avec bien moins de force et une fréquence moindre. Désormais, l'aéroport de Pékin est fermé plusieurs fois dans l'année à cause des tempêtes de poussière !

– *Comment se fait-il que de telles quantités de bonne terre se transforment en poussière ?*

– Aujourd'hui, la Chine possède 117 millions de bovins. À comparer avec les 100 millions qui paissent aux États-Unis, dont la surface est équivalente. Et, alors que les États-Unis ont 9 millions de chèvres et moutons, la Chine en compte 256 millions, qui ravagent la végétation, mettant la terre à nu. Celle-ci se dessèche, puis est emportée par les vents, formant les plus grands nuages de poussière de l'histoire de l'humanité. Plus grands que ceux que nous avons connus en Amérique durant la grande sécheresse des années trente, à l'époque des *Raisins de la colère*. Le National Center for Atmospheric Research, à Boulder, dans le Colorado, a mesuré le dernier : 6 kilomètres d'épaisseur ! Et lorsqu'il a quitté la Chine, sa surface était plus importante que celle du Japon tout entier. Alors, c'est vrai, il y a toujours eu des tempêtes de poussière, mais jamais de cette ampleur. Les Chinois et le monde vont désormais devoir faire avec. Une pression trop forte sur un système naturel l'endommage, puis le détruit. Nous perdons aujourd'hui le sol plus vite qu'il ne se crée.

### *Les villes à la campagne*

– *Labourage et pâturage intensifs détruisent donc les sols...*

– L'agriculture n'est pas la seule responsable. Historiquement, les villes se sont établies là où il y avait de l'eau potable. C'est-à-dire près de rivières ou de lacs. Dans ces bassins, la terre était riche de limons. L'agriculture nourrissait donc les habitants. Aujourd'hui, ces villes s'étendent démesurément et un maillage dense de routes occupe le terrain. L'urbanisation de la planète est telle qu'elle se voit depuis l'espace. Et cela s'effectue donc au détriment des meilleures terres. Depuis le début de la seconde moitié du XX^e siècle, la surface moyenne par habitant de la planète cultivée en céréales est tombée de 0,24 hectare à 0,12 hectare. La mécanisation, l'utilisation massive d'engrais et de pesticides ont permis de compenser, en augmentant de 170 % la productivité des surfaces restantes.

– *Pourtant, on critique beaucoup aujourd'hui cette agriculture productiviste.*

– C'est que, entre autres pollutions, l'usage massif d'engrais par l'agriculture et les rejets des élevages hors sol – de porcs en particulier – déséquilibrent le cycle des nitrates. Pesticides et engrais polluent les nappes souterraines, de sorte que les réserves d'eau potable des pays du Nord sont elles aussi menacées. Savez-vous que la durée moyenne du transit de l'eau dans une nappe phréatique est de 1 400 ans ? Or, les scientifiques découvrent des cas de pollution de nappes près des fermes, des usines, des villes, sur tous les continents. Il suffit d'analyser les eaux souterraines pour connaître l'activité humaine en surface. Et le monde développé n'est pas à l'abri, bien au contraire : il empoisonne actuellement ses réserves d'eau douce pour des siècles.

– *Restent les rivières.*

– Oui. Dans une rivière, l'eau ne transite que deux semaines, en moyenne ; il peut y avoir d'importantes disparités. Mais pour qu'elle redevienne potable, il faut que la source de pollution de la rivière soit tarie ! Ce qui n'est pas une mince affaire quand on sait que les cours d'eau sont utilisés comme égouts. Indépendamment des substances dangereuses rejetées par l'industrie, on retrouve à l'arrivée, dans certains lacs, dans certaines mers, les substances nutritives, phosphates et nitrates, apportées par le ruissellement ou charriées par les cours d'eau, en beaucoup trop grandes quantités. Les plantes prolifèrent. L'oxygène diminue. C'est l'eutrophisation : la mer meurt.

– *Certaines mers. Les océans ne sont quand même pas menacés ?*

– Je ne sais pas jusqu'à quand ils pourront absorber les marées noires et les innombrables déchets, certains toxiques, que l'on y déverse... Et la pêche intensive pose aussi un problème. Entre 1950 et 1997, les quantités de poissons prélevées sont passées de 19 millions de tonnes à 90 millions. Si, comme l'estiment la plupart des biologistes marins, les océans de cette planète ne peuvent supporter un prélèvement annuel supérieur à 95 millions de tonnes, la quantité de poisson disponible par personne va diminuer de manière spectaculaire, compte tenu de l'augmentation de la population. Et les prix vont grimper. Il faudra alors trouver des protéines de substitution.

## *La mer fantôme*

– *Observe-t-on déjà des signes de l'épuisement des mers ?*

– Oui. Les riches parcs à huîtres de Chesapeake Bay, qui produisaient 70 000 tonnes d'huîtres par an au début du

XXe siècle, atteignent difficilement les 2 millions de tonnes aujourd'hui. Dans l'Atlantique, on ne pêche quasiment plus d'espadons, le grand poisson du *Vieil Homme et la Mer*. Et la mer d'Aral, qui produisait plus de 40 millions de tonnes de poisson par an, est désormais réduite à l'état de marais salant. Stérile.

– *Mais là, il s'agit d'évaporation...*

– Parce que les fleuves qui l'alimentaient, Amou-Daria et Syr-Daria, ont vu leur eau détournée pour la construction, dans les années soixante, d'importants réseaux d'irrigation destinés à la monoculture du coton. Résultat : faute d'eau, la mer d'Aral s'est réduite comme peau de chagrin et le sel s'est concentré. Les vents ont emporté la poussière salée du sol desséché, brûlant les plantes jusqu'à des centaines de kilomètres alentour, et contribuant ainsi à transformer toute la région en désert.

– *L'action des hommes sur la planète ne se manifeste donc que de manière négative ?*

– La plupart du temps, hélas ! Il faut comprendre que l'on ne peut plus conserver une mentalité de chasseurs-cueilleurs lorsque l'on se retrouve à plus de 6 milliards de personnes. Il va falloir apprendre à la gérer, notre Terre ! Nous verrons que l'humanité est tout de même capable de quelques réactions positives. Mais il faut bien avouer que nous rencontrons des problèmes dans tous les domaines. Prenez la disparition des espèces vivantes, animales et végétales. Là non plus, le phénomène n'est pas neuf. Des espèces apparaissent, d'autres disparaissent. Cela se passe ainsi depuis 650 millions d'années. Ce qui est nouveau, c'est qu'elles périssent à un rythme accéléré.

– *Pour quelles raisons ?*

– À cause de la destruction de leur habitat, de la pollution, de l'élévation des températures… Et il ne faut pas négliger les dégâts causés par les collectionneurs des pays riches, et la médecine traditionnelle asiatique avec ses potions à l'os de tigre ou à la corne de rhinocéros supposés guérir de l'impuissance ou de l'asthme ! La plupart des gens n'ont pas conscience du phénomène, parce qu'ils continuent à voir tous les jours des chiens, des chats, des rats, des mouettes ou des pigeons. Et aussi parce que nombre de disparitions sont des conséquences du défrichement de forêts tropicales, donc lointaines. 11 % des 8 617 espèces d'oiseaux recensées, 25 % des 4 357 espèces de mammifères, 34 % des poissons ont disparu. Alors, bien sûr, nous pouvons en perdre quelques-unes sans que le système ne s'écroule. Mais si nous continuons, nous courrons à la catastrophe. Quand ? Nous ne le savons pas. À un stade que nous ignorons, le système va craquer.

– *Est-ce certain ? Ne pouvons-nous pas continuer à vivre avec un nombre réduit d'espèces vivantes ? Le tigre du Bengale est très beau, le baobab aussi, mais ne peut-on se passer d'eux sans gros dommages, même si, intellectuellement, on peut en être triste ?*

– Un écosystème ne produit pas seulement des biens, mais aussi des services. C'est la raison pour laquelle nous devons nous inquiéter de la disparition des espèces : elles contribuent toutes au fonctionnement d'écosystèmes dont nous avons besoin.

– *Qu'est-ce qu'un écosystème ?*

– C'est un complexe d'organismes vivants, en relation les uns avec les autres et avec le monde physique. Nous utilisons souvent ce terme, un peu schématiquement, lorsque nous parlons de l'écosystème terrestre. Mais un écosystème, ce peut être une forêt tropicale, un jardin, une mare... Les écosystèmes sont des équilibres. Et nous commençons à comprendre que la plupart d'entre eux nous sont utiles, sans que nous en ayons eu jusqu'ici conscience.

### *Les arbres du Yang-Tsé*

– *Par exemple ?*

– Les forêts, qui valent autant par leur capacité à contrôler les inondations que par la production de bois. Ce qui est nouveau, c'est que même les gouvernements commencent à s'en rendre compte. Ainsi, en 1998, la vallée du Yang-Tsé a subi la plus grande inondation connue de son histoire. Des milliards de dommages, des millions de personnes déplacées... Là encore, le phénomène n'est pas récent : en Chine, à l'époque de la mousson, il y a toujours des inondations. Mais jamais de cette ampleur.

– *Globalement, la surface forestière de la planète est moins importante que par le passé ?*

– Beaucoup moins. Si nous continuons la déforestation au même rythme, la surface moyenne de forêt par habitant de la Terre tombera de 0,56 hectare aujourd'hui à 0,38 hectare en 2050. Il est d'autant plus difficile de réagir que l'essentiel des défrichements a lieu dans les pays en voie de développement. Et il ne s'agit pas seulement de l'Amazonie et de la forêt congolaise ! En Chine, 85 % de la couverture forestière originelle du bassin du Yang-tsé-kiang a disparu. Or, 400 millions de personnes y vivent. Quelque temps après les grandes inondations, à Pékin, les officiels ont promulgué une interdiction totale de couper des arbres dans le bassin du Yang-Tsé. Mieux : certains organismes d'État consacrés à l'exploitation forestière se sont vu reconvertir en pépinières. Et le Premier ministre Zhu Rongji déclara alors quelque chose de très intéressant : « Nous avons calculé qu'un arbre debout a trois fois la valeur d'un arbre coupé. » Les autorités chinoises reconnaissaient que les forêts n'étaient pas seulement une source de matière première, mais qu'elles fournissaient des services fondamentaux dans le contrôle des inondations, la protection des sols, la fixation du gaz carbonique, etc. Il était intéressant que ce soit un leader politique, confronté aux problèmes concrets, qui dise cela, et pas seulement un scientifique ou un militant écologiste.

## *Le nénuphar infernal*

– *En fait, toutes les perturbations que connaît notre planète font partie de son histoire normale. Il semble que seule leur dimension pose aujourd'hui question.*

– Oui. Tout est question d'échelle. Pour comprendre ce qu'est une croissance exponentielle, il faut garder à l'esprit le fameux problème des nénuphars.

– *Eux aussi ont des malheurs ?*

– Pas dans cette histoire. En tout cas, au début. Un nénuphar, donc, se multiplie. Le premier jour, il n'y a qu'un nénuphar ; le deuxième jour, il y en a deux ; le troisième jour, quatre ; le quatrième, huit, et ainsi de suite. Si, chaque jour, le nombre de feuilles double ainsi, au bout de combien de temps la Terre entière sera-t-elle recouverte de nénuphars ?

– *Je donne ma langue au chat.*

– La réponse est : 29 jours.

– *Seulement ?*

– Seulement. C'est pourquoi, lorsque nous commençons à remarquer une ampleur nouvelle dans des événements sur lesquels nous avons prise, il est important de réagir vite, avant qu'ils ne nous dépassent.

SCÈNE 2

# L'humanité prend l'eau

La pluie ne suffit pas. Pour nourrir plus de 6 milliards d'hommes, il faut irriguer. Alors, on pompe, à un rythme effréné, des nappes souterraines qui avaient mis des siècles, ou plus, à se constituer...

## *Effets pervers*

– *Quel est aujourd'hui le problème le plus grave auquel l'humanité est confrontée dans ses rapports avec la planète Terre ?*

– **Lester R. Brown** : L'eau. Dans de nombreux pays, le niveau des nappes souterraines baisse à la suite d'un pompage excessif. Durant des millénaires, nous avons puisé de l'eau du sous-sol. Jusqu'à une époque récente, nous pouvions seulement utiliser des systèmes actionnés par des hommes ou des animaux. Cela limitait les quantités que nous pouvions prélever. Mais depuis un peu plus d'un demi-siècle, nous disposons de puissantes pompes électriques ou diesel qui nous permettent de tirer d'énormes volumes. Et cette technologie a été disponible partout dans le monde à peu près en même temps. La demande d'eau a augmenté et nous avons commencé à « surpomper ». Et les nappes ont alors commencé à baisser.

– *Elles ne se renouvellent pas ?*

– Si. Mais à des rythmes très différents. Aussi longtemps que la demande d'eau est inférieure à la vitesse de renouvellement de l'aquifère, il n'y a pas de problème. Mais dès que le pompage est plus rapide que le remplissage, le niveau baisse. La première année, un peu. Davantage la deuxième, puisque la proportion pompée augmente avec la baisse du volume de la réserve d'eau. Si l'on ne veut pas assécher une nappe phréatique qui met parfois plusieurs siècles à se remplir, le rythme de pompage doit être réduit au niveau du rythme de recharge. Ce n'est pas ce que l'on fait. Ainsi, dans le nord de la Chine…

– *Encore la Chine !*

– Oui. Ce pays surpeuplé est confronté dès maintenant aux problèmes que connaîtront bien d'autres endroits du monde dans les années à venir. La Chine est un exemple de ce qui arrive lorsque la pression de la population sur l'environnement est trop forte. Plus d'un millier de puits, asséchés, sont abandonnés tous les ans. Plus de 200 000 nouveaux puits ont été forés, qui tarissent peu à peu les nappes phréatiques. Celle qui se trouve sous Pékin a baissé de plus de 60 mètres depuis 1965 ! Que se passera-t-il lorsque des centaines de millions de Chinois manqueront d'eau ?

– *Mais que faire ?*

– Si nous étions rationnels, nous limiterions la croissance de la population lorsque nous ne pouvons satisfaire ses besoins.

*– Beaucoup ont essayé. Mais les traditions, les religions, les archaïsmes divers s'y opposent. On peut difficilement dire aux gens : « Cessez de faire des enfants et buvez moins ! »*

– Si nous ne stabilisons pas le peuplement humain de cette planète, les conséquences seront lourdes. Or, c'est possible : de nombreux pays l'ont déjà fait. Y compris parmi ceux qui sont encore en voie de développement. C'est avant tout une question d'éducation – des femmes principalement. Il faut absolument comprendre que le niveau tolérable d'une population sur un territoire donné correspond aux ressources en eau.

*– Est-ce qu'il n'y a pas des manières plus ou moins économes d'utiliser cette ressource ?*

– Si, bien sûr. Il y a un demi-siècle, les anciennes frontières de l'agriculture sont tombées. Nous nous sommes concentrés sur la productivité de la terre, au moment où l'exode rural nous la faisait déserter. Politiques agricoles, programmes de recherche, service aux fermiers… Toute une série d'instruments ont été mis au point pour élever la productivité. Cette révolution, nous devons la faire aujourd'hui avec l'eau.

## *La Terre a soif*

*– Mais la révolution verte, que vous citez en exemple, n'a-t-elle pas, justement, augmenté de manière importante la consommation d'eau ?*

– Si. 70 % de l'eau détournée de rivières ou pompée dans le sol est aujourd'hui consommée par l'agriculture, 20 % par l'industrie, 10 % par les individus, pour la boisson et la toilette. L'agriculture est, de très loin, le principal consommateur, c'est pourquoi nous devons nous focaliser dessus.

– *Tout cela a-t-il vraiment de l'importance pour les pays du Nord, qui ne manquent pas d'eau ?*

– Certainement ! D'abord, parce que la sécheresse dans les pays chauds peut nous affecter directement. Actuellement, c'est en Afrique du Nord et au Moyen-Orient que le marché des céréales présente la plus forte croissance. Principale raison : la rareté de l'eau. Les pays de cette zone ont dépassé les limites des capacités des nappes phréatiques. Et comme ils ont de plus en plus besoin d'eau pour les villes et l'industrie, ils ne peuvent la prendre qu'à l'agriculture. Ils importent donc du grain pour compenser la réduction de leurs capacités agricoles. Or, importer une tonne de blé équivaut à importer les mille tonnes d'eau nécessaires pour faire pousser ce blé. En fait, en situation de pénurie, la meilleure façon d'importer de l'eau est de le faire sous forme de grains.

– *Mais le manque d'eau dépend aussi de la pluviométrie !*

– Dans ces pays, des pluies, même abondantes, ne suffisent pas. La quantité d'eau qui aurait été nécessaire pour faire pousser les céréales importées au cours de l'année 2000 par l'Afrique du Nord et le Moyen-Orient équivaut à celle apportée par le Nil !

### *Consommateurs contre producteurs*

– *Mais en quoi cela peut-il affecter nos pays de façon directe ?*

– Parce que ce qui a été longtemps considéré comme une

crise locale et passagère est en train de devenir un problème économique international, permanent, à travers le marché des céréales.

– *Les agriculteurs des pays développés ne se plaindront sûrement pas d'une croissance du marché !*

– Mais les consommateurs, si ! Aujourd'hui, en Chine, très loin de chez nous, des nappes souterraines baissent. Or, cela risque fort d'entraîner, demain, une élévation importante des prix de notre nourriture. Faute d'eau, la Chine va devoir importer d'énormes quantités de céréales en provenance des États-Unis, de France, du Canada, d'Argentine… Ces pays ne pourront pas fournir et les prix vont flamber.

– *Mais nous avons déjà la capacité de nourrir toute la planète !*

– Vous parlez comme un économiste, le nez sur le très court terme, pas comme un écologiste. Vous regardez le marché et vous dites : « Le prix des céréales est le plus bas depuis vingt ans, cela veut dire que nous avons des surplus excessifs. Une capacité de production trop importante. » Mais si l'on observe la situation d'un peu plus haut, on s'aperçoit que le « surpompage » dans le monde, c'est-à-dire en Chine et en Arabie, mais aussi aux États-Unis ou en Europe, s'élève chaque année à quelque 160 milliards de tonnes d'eau. Ce qui correspond à 160 millions de tonnes de grains. À un tiers de tonne par personne – moyenne mondiale –, cela nourrit 480 millions de gens. Ou, posé autrement, 480 millions d'êtres humains sont nourris grâce à de l'eau non renouvelée. On peut encore surpomper durant un temps, mais on arrivera forcément à un point de rupture. La ressource sera asséchée et il y aura des coupes sombres dans la production.

– *Quand ?*

– Je ne peux pas le dire : trop de facteurs peuvent avancer ou retarder l'échéance. Ce que je sais, c'est qu'il y a deux ans l'Iran a dépassé le Japon comme importateur de blé. Et l'année dernière, l'Égypte a dépassé l'Iran. Égypte et Iran ont chacun 65 millions d'habitants. Mais qu'arrivera-t-il lorsqu'un pays comme le Pakistan, de 140 millions d'habitants, ou comme la Chine, avec 1 milliard 300 millions d'habitants, commenceront à importer de grandes quantités de céréales ?

– *Pourront-ils payer ?*

– En 2000, la balance commerciale entre la Chine et les États-Unis était excédentaire de 80 milliards de dollars, en faveur de la Chine ! Les Chinois ont donc les moyens d'acheter la totalité du grain que nous exportons. Dans quelques années, si rien n'est fait, nous verrons donc les consommateurs chinois en compétition avec les consommateurs américains. Et les prix alimentaires s'envoleront.

– *Tous les pays n'auront pas les moyens de la Chine ou de l'Arabie.*

– C'est certain. Les habitants des villes de pays à très faibles revenus dépensent déjà 70 % de leurs ressources pour la nourriture. Ils ne pourront plus acheter le minimum pour se maintenir en vie. Et comme l'aide internationale ne peut constituer une solution, ni suffisante, ni durable, l'instabilité politique dans ces pays deviendra un problème majeur.

– *Comment peut-on exiger une agriculture plus respectueuse de l'environnement, la fin du productivisme, si l'on sait que demain on va manquer de céréales ? N'est-ce pas un peu la défense de la planète contre la défense des hommes ?*

– Non. Les deux sont étroitement liées. Il est vrai que les fertilisants ont permis d'accroître la production. Mais, aujourd'hui, non seulement leur augmentation ne sert à rien, mais on pourrait diminuer les doses en les utilisant mieux. D'ailleurs, aux États-Unis, la consommation d'engrais se situe au même niveau qu'en 1980. Elle est stabilisée. Et ce n'est pas une question économique : nous avons simplement atteint la limite des capacités de la photosynthèse. Actuellement, une grande partie des engrais, épandus en excès, va polluer les eaux au lieu d'être absorbée par les plantes. Même chose pour les pesticides : 85 % des quantités qui sont pulvérisées ne touchent jamais leur cible et se répandent dans l'environnement.

## *Agriculture et Jeux olympiques*

*– Vous voulez dire que la croissance de la production mondiale de céréales est terminée ?*

– À peu près. En rationalisant, les fermiers gagneront plus, pollueront moins, mais ne pourront guère produire plus. Ce que nous avons réussi, durant la seconde moitié du XXe siècle, ne peut plus être poursuivi. Depuis 1950, certains pays ont quadruplé leur production de céréales. C'est le cas du blé en France, du maïs aux États-Unis et des deux en Chine. Mais l'agriculture est un processus biologique. En 1896, le mile des premiers Jeux olympiques fut gagné en 4 minutes 56 secondes. Juste en dessous des 5 minutes ! En 1954, Banister, un étudiant en médecine britannique, descendit en dessous des 4 minutes. C'était il y a un demi-siècle. Or, personne aujourd'hui n'envisage que l'on puisse descendre en dessous des 3 minutes : nous touchons à des limites physiologiques. Eh bien, il se passe la même chose pour l'agriculture.

– *Pensez-vous que nous soyons arrivés à une étape clef de l'histoire de la Terre et de nos relations avec elle ?*

– Oui. Nous allons entrer dans un monde très différent maintenant. Et je ne suis pas sûr que nous y soyons totalement préparés. Beaucoup de choses changent en même temps, atteignent des limites, interagissent de manières que nous ne comprenons pas bien. Pour analyser le futur, nous devons traiter de trois mondes séparés : le système économique, le système sociopolitique et le système naturel – l'écosystème, si vous préférez. Les trois sont constamment en interférence. Et la complexité de ces interactions nous dépasse souvent.

## *Les misères de l'atmosphère*

– *Après la terre et l'eau, nous devons aussi parler de l'air.*

– C'est plus facile.

– *Pourquoi ?*

– Le principe de l'effet de serre n'est pas discutable. L'augmentation de la quantité de gaz carbonique dans l'atmosphère est sans doute la tendance environnementale la plus prévisible du monde actuel. Nous pensons réellement comprendre certaines de ses conséquences, telle l'élévation des températures.

– *Elles ne s'élèvent pas partout.*

– Non, mais de manière globale. Depuis que nous disposons de chiffres sérieux, c'est-à-dire la fin du XIXe siècle, les températures moyennes augmentent lentement, avec une accélération importante depuis le milieu des années soixante-dix.

– *Comment être sûr qu'il ne s'agit pas d'un caprice passager du temps ?*

– En science, il y a peu de certitudes. Mais nous pouvons tout de même avoir de très fortes présomptions. Lorsque la révolution industrielle a débuté, il y a deux siècles, la concentration de $CO_2$ dans l'atmosphère était d'environ 280 parts par million (ppm). En 1959, les niveaux avaient monté de 13 %, à 316 ppm. En 1999, à 368 ppm. Actuellement, les émissions de carbone liées à l'activité humaine dépassent légèrement 6 milliards 300 millions de tonnes par seconde. Les analyses de bulles d'air piégées dans l'Antarctique nous montrent que les concentrations actuelles sont sans précédent depuis 420 000 ans. Or, nous savons que le $CO_2$ est le principal gaz à effet de serre, puisqu'il laisse passer le rayonnement solaire qui chauffe la Terre et retient les infrarouges émis par la planète qui se refroidit.

– *L'augmentation des températures est-elle également significative ?*

– Oui. En un siècle, les températures moyennes ont augmenté de 0,6 degré. Le phénomène s'accélère depuis une trentaine d'années. La température planétaire moyenne pour la période 1969-1971 était de 13,99 degrés. Pour la période 1996-1998, elle était de 14,43 degrés. Les quatre plus chaudes années depuis 1860 ont été enregistrées au cours des années quatre-vingt-dix. De plus, ce qui est significatif, c'est surtout l'augmentation des températures nocturnes qui fait grimper la moyenne.

– *Quelles sont les prévisions pour les années à venir ?*

– Si les concentrations de $CO_2$ atteignent le double de leur niveau des débuts de la révolution industrielle, comme cela semble probable, les températures moyennes de l'atmosphère augmenteront considérablement.

– *De combien ?*

– Une fourchette comprise entre 1 et 4 degrés.

## *Glaciers effacés*

– *Et quelles en sont les conséquences immédiates ?*

– Il y en a beaucoup. Nous ne les saisissons pas toutes clairement. Mais, là encore, l'eau sera le principal vecteur des modifications.

– *Avec la montée du niveau des océans ?*

– Bien sûr. Cela dit, si les réactions de l'atmosphère à une augmentation de l'effet de serre sont rapides, celles des océans peuvent prendre plusieurs décennies. Plusieurs millénaires même en ce qui concerne les eaux profondes. Conséquence : lorsque l'on prend conscience du phénomène, il est déjà bien tard pour réagir. Car ce qui est sûr, c'est qu'en se réchauffant l'océan se dilate. Ajoutée à cela la fonte des glaciers et des banquises, on prévoit d'ici à 2100 une élévation minimum de 17 centimètres, mais qui pourrait atteindre 1 mètre. Assez pour entraîner des dégâts considérables, engloutir certaines îles ou des zones côtières. Dans le delta du Mississipi, 100 kilomètres carrés de marécages disparaissent chaque année, et un pays comme le Bangladesh est particulièrement menacé. Il faut se rappeler que 20 % de la population mondiale vit à moins de 3 mètres d'altitude !

*– Les glaciers fondent vraiment ?*

– Ils reculent partout. Dans l'Antarctique, l'épaisseur de glace est la moitié de ce qu'elle était il y a dix ans. Et des glaciers ont disparu dans les montagnes Rocheuses, les Andes, les Alpes, l'Himalaya. Partout. L'Antarctique a déjà perdu plus de 10 000 kilomètres carrés de glace. En 1991, on a découvert dans le sud-ouest des Alpes un corps humain intact émergeant d'un glacier. Il s'agissait d'un homme qui avait dû être pris dans une tempête il y a 5 000 ans. Il avait dû être rapidement recouvert de neige et de glace, de sorte qu'il était remarquablement conservé. Puis, en 1999, dans l'ouest du Canada, un autre corps a été trouvé, dans des circonstances analogues, émergeant d'un glacier du Yukon en train de fondre. Nos ancêtres ressortent aujourd'hui des glaces avec un message pour nous : la Terre se réchauffe !

*– La fonte des glaciers est surtout triste pour le paysage. Mais il ne s'agit pas d'écosystèmes très riches. Ce n'est donc pas dramatique pour l'espèce humaine.*

– Si ! 40 % de la nourriture de l'humanité vient de terres irriguées. Et une grande partie de ces terres est irriguée par de l'eau qui est stockée dans les glaciers des montagnes. Ceux-ci sont les réservoirs du ciel. Depuis les débuts de l'agriculture, il y a 10 000 ans, ils ont toujours été là. Or, voilà qu'aujourd'hui les scientifiques qui les étudient disent qu'un degré d'élévation des températures dans les régions polaires et montagneuses peut réduire les précipitations sous forme de neige et augmenter celles qui tombent sous forme de pluie. Cela veut dire qu'il y aura un écoulement plus important durant la saison des pluies, et beaucoup moins de neige et de glace fondant pendant la saison sèche et alimentant les cours d'eau.

– *Résumons : les glaciers jouant un rôle de régulateur, le climat va devenir de plus en plus excessif. Inondations et sécheresse vont alterner. C'est ça ?*

– C'est bien ça. Trop d'eau ou pas assez. Regardez l'Asie : le réservoir de neige et de glace y est le troisième du monde. Le premier est le pôle Sud ; le deuxième, le Groenland ; le troisième, ce sont les glaciers de l'Himalaya. Tous les fleuves importants de l'Asie y prennent leur source : l'Hindus, le Gange, le Mékong, le Yang-Tsé, le fleuve Jaune, etc. Le changement de climat peut altérer l'hydrologie de toute l'Asie. Or, l'irrigation tient une place fondamentale dans l'agriculture asiatique. Tant de gens en vivent… On n'ose imaginer les conséquences s'ils venaient à perdre ça.

## *Les guerres de l'eau*

– *C'est pour cela que l'eau devient de plus en plus un enjeu stratégique.*

– Absolument. Que ce soit en Éthiopie, au Bengale indien, en Égypte, au Soudan, en Chine, entre l'amont et l'aval du Yang-Tsé, de nombreux conflits éclatent à l'intérieur des sociétés à cause de l'eau. Même sur le plan international, les tensions sont de plus en plus vives. Le plateau du Golan, que se disputent la Syrie et Israël, est avant tout un réservoir d'eau dans une région sèche. L'Euphrate constitue un sujet de discorde entre la Syrie et la Turquie qui implante des barrages en amont. Même les Mexicains commencent à grincer des dents en voyant ce qui reste du Colorado lorsqu'il franchit la frontière. La baisse du débit des cours d'eau ne va pas arranger les situations. Et lorsque l'on sait que l'Indus a eu ces trois dernières années les plus bas niveaux jamais enregistrés et qu'à la suite de cela 40 % des récoltes de blé ont été perdues, on doit commencer à s'inquiéter un peu.

*– Le manque d'eau constitue donc l'un des problèmes majeurs des années à venir, mais cela signifie-t-il que certains pays devront tout simplement renoncer à l'agriculture ?*

– Les bouleversements seront considérables. Encore la Chine : elle a changé de politique. Les villes et l'industrie sont en train de devenir les premiers demandeurs d'eau, tandis que l'agriculture va peu à peu devenir un consommateur presque résiduel. La production de grain diminue donc. Avec les 1 000 tonnes d'eau dont nous parlions tout à l'heure, il est possible de produire 1 tonne de blé qui vaut 200 dollars. Mais on peut aussi l'utiliser dans l'industrie et en tirer jusqu'à 14 000 dollars. Soixante-dix fois plus. Pour créer des emplois, soutenir une croissance économique, il n'est pas rationnel d'utiliser une eau devenue rare dans l'agriculture. Et c'est ce qui va changer bien des choses dans de nombreuses parties du monde.

*– Et le progrès technique ? Ne peut-on améliorer la productivité dans les zones défavorisées puisque l'agriculture développée ne peut plus progresser ?*

– Il est sans doute possible d'obtenir des cultures utilisant l'eau plus efficacement. Une amélioration de 10 %, ou 20 % peut-être. Mais guère plus, à cause de la physiologie basique.

– *Alors, comment l'homme peut-il continuer à vivre en épuisant la planète dont il tire sa subsistance ?*

– Que restera-t-il de nous dans quelques siècles si nous ne bougeons pas ? Je ne crois pas qu'il faille être trop pessimiste : parfois, les choses peuvent changer très vite. En 1989, il y a eu une révolution en Europe de l'Est. On n'imaginait pas qu'à court terme le communisme puisse s'effondrer. Quelques mois plus tard, il s'était effondré. Personne n'avait anticipé un tel changement. Ni la CIA, ni les politologues patentés.

### *En attendant Pearl Harbor*

– *C'est tout de même un cas exceptionnel dans l'Histoire.*

– Non. Vous voulez un autre exemple ? Dans les années quarante, il y avait un grand débat dans ce pays pour savoir si les États-Unis devaient entrer ou pas dans la guerre. La grande majorité des gens étaient contre : ils se souvenaient des 17 000 morts américains de la Première Guerre mondiale, trente-cinq ans plus tôt ; et puisque les Français et les Allemands se faisaient la guerre à chaque génération, il n'y avait qu'à les laisser se débrouiller entre eux... Puis, le 7 décembre 1941, les Japonais ont attaqué nos navires à Pearl Harbor. En une seule nuit, tout a changé. L'Amérique a déclaré la guerre à l'Allemagne et au Japon. Du jour au lendemain, 2 millions d'hommes qui travaillaient dans des bureaux se retrouvèrent dans des camps à suivre un entraînement militaire. Un jour les femmes étaient à la maison, le lendemain elles étaient dans des entreprises. Un jour les usines fabriquaient des voitures, le lendemain elles fabriquaient des tanks. L'essence, le sucre, le caoutchouc ont été rationnés. Nous avons littéralement restructuré l'économie du jour au lendemain. Parce que nous avions peur.

*– Pour évoluer, la vie sur Terre a eu besoin de grandes catastrophes écologiques : volcanisme intense, météorites ou glaciations. C'est seulement sous une menace de cet ordre que les mentalités évolueront ?*

– Sans doute. La question est : « Y aura-t-il un Pearl Harbor dans la bataille pour sauver la planète ? » Mon opinion est qu'il peut se produire par la combinaison d'un réchauffement du climat et d'une pénurie d'eau douce entraînant un manque de nourriture sans précédent. Les prix grimperont en flèche. L'instabilité politique et les migrations de populations effraieront le monde. Alors, seulement, nous nous déciderons à commencer, en catastrophe, ce que nous aurions dû faire depuis des années.

SCÈNE 3

# Vers la réconciliation

Finie la conquête ! Une nouvelle ère peut s'ouvrir, respectueuse de la Terre et de la vie qu'elle a engendrée. La technologie pourrait permettre aux hommes de vivre avec leur environnement et non plus contre lui. Si nous le voulons...

## *La preuve par l'ozone*

– *Tout de même, ne pensez-vous pas que beaucoup de gens sont de plus en plus sensibles aux problèmes d'environnement ?*

– **Lester R. Brown** : Si. Et c'est ce qui me rend optimiste. Ce qui s'est passé avec la couche d'ozone est très encourageant.

– *Que s'est-il passé de tellement positif ?*

– C'est une histoire intéressante. En 1972, Sherwood Roland et Mario Molina, deux scientifiques, ont publié un article dans lequel ils posaient comme hypothèse que les CFC – chlorofluorocarbures – augmenteraient dans l'atmosphère. Ils disaient qu'après des années ces gaz finiraient par interagir avec la couche d'ozone, conduisant à une augmentation des radiations frappant la Terre.

– *En quoi cette couche d'ozone est-elle importante ?*

– L'ozone est un gaz qui fonctionne comme un filtre à ultraviolets et protège la vie sur notre planète. Sa diminution durable entraînerait immanquablement une augmentation spectaculaire des cancers, de la peau en particulier. Dans la haute atmosphère, existe un processus de fabrication d'ozone, mais aussi de destruction. En temps normal, les deux s'équilibrent, de sorte que nous bénéficions d'une couche d'ozone stable. Jusqu'à la fabrication des CFC qui s'attaquaient à l'ozone. La destruction l'a alors emporté sur la fabrication.

– *On savait déjà cela en 1972 ?*

– C'était seulement théorique. À cette époque, à cause du battage fait par les médias, les autorités s'en sont un peu préoccupées et elles ont imposé une diminution des CFC. C'est tout. Mais, en 1985, deux chercheurs anglais publièrent un article sur la découverte qu'ils venaient de faire : un trou dans la couche d'ozone. Cela fit bouger la communauté scientifique qui commença à s'inquiéter sérieusement. Très vite, la National Science Foundation mobilisa une équipe de scientifiques qui firent des mesures, analysèrent la situation et essayèrent de savoir si les CFC étaient responsables du phénomène. Il y eut une importante coopération internationale et, finalement, les scientifiques annoncèrent qu'ils avaient trouvé l'arme du crime. En 1987, il y eut une importante réunion politique sur ce sujet. Une autre conférence eut lieu à Londres en 1990. Le Danemark réagit plus vite que les autres pays, puisqu'il interdit totalement les CFC dès 1992. Les autres pays finirent par suivre.

– *Aujourd'hui, les CFC sont totalement bannis ?*

– Presque. La couche d'ozone n'est pas encore restaurée. Mais il semble bien que nous ayons créé les conditions pour que, peu à peu, elle se reconstitue. Cette histoire, exemplaire, montre que nous savons réagir quand nous sommes vraiment inquiets. Saurons-nous faire de même pour le climat ?

## *Économie contre écologie*

– *La suppression des CFC nécessitait quelques aménagements techniques, pas un bouleversement de l'économie.*

– C'est vrai. Mais la relation entre économie et écologie est fascinante : c'est la clef de tout. On ne peut pas parler de l'histoire de la planète Terre contemporaine sans évoquer l'action des hommes, et on ne peut parler des hommes sans parler d'économie. Le marché est une exceptionnelle institution d'autorégulation. Mais il a une faiblesse : il ne dit pas la vérité sur les prix réels de beaucoup de choses. Par exemple, si vous achetez de l'essence, vous payez le prix de la recherche, du pompage du pétrole, du raffinage, du transport, de la distribution. Éventuellement, des taxes prélevées par les gouvernements. Mais vous ne payez pas le prix des dépenses de santé liées à la pollution de l'air. Vous ne payez pas les dégâts provoqués par les pluies acides. Vous ne payez pas le coût des perturbations climatiques.

– *Alors, qui paie tout ça ?*

– Aujourd'hui, pour une partie, un peu tout le monde à travers les impôts. Mais ce sont surtout nos enfants qui hériteront de la note. Nous, nous espérons pouvoir partir sans payer l'addition. C'est comme pour l'eau : tant qu'il en reste une goutte, on pompe sans se poser de questions. Demain est un autre jour… Il n'y a pas un seul pays développé où l'irrigation ne soit pas subventionnée. Les consommateurs paient l'eau bien plus cher que les agriculteurs qui, en plus, la polluent souvent. Et le problème n'est pas seulement lié à l'énergie ou à l'irrigation. Si les pesticides ou les décharges étaient taxés, les gens feraient certainement beaucoup plus attention.

## *Durable ou jetable*

*– Taxer pour sauver la planète ? Est-ce vraiment efficace ? Il ne suffit pas d'interdire, il faut proposer des alternatives crédibles. Comme pour les CFC. Ainsi, les grands barrages brésiliens produisent autant de méthane que d'électricité, et celui des trois vallées, en Chine, sera un désastre écologique, historique et humain.*

– Toutes les alternatives ne sont pas forcément bonnes. Il est plus facile d'économiser quand on est riche que lorsqu'on est pauvre. Comment dire aux Brésiliens de ne pas défricher la forêt tropicale pour récolter du bois, cultiver la terre ou faire paître du bétail, alors que les champs de l'Ohio sont d'anciennes forêts. La question n'est pas : « Peut-on le faire ou non ? » On peut, puisque nous le faisons dans l'Ohio. La question est de savoir si ce que nous voulons faire pourra ou non être durable. Or, ça ne l'est pas dans la forêt tropicale.

*– La création de grandes réserves n'est-elle pas un premier pas ? Une solution, au moins provisoire ?*

– L'idée que nous pouvons protéger la planète en créant des grandes réserves ou des parcs naturels n'est probablement pas réaliste, tant que nous ne stabilisons ni la population ni le climat. Quand les gens auront faim, ils entreront dans les parcs et tueront les animaux, protégés ou non. Ils chasseront tous les gibiers possibles parce qu'ils auront besoin de protéines.

*– C'est le futur retour aux famines du Moyen Âge que vous décrivez !*

– Ni le futur ni le Moyen Âge ! Cela se passe déjà dans certaines régions d'Afrique. Si l'on veut être sérieux, pour protéger les écosystèmes il faut poser la question de ce qui peut être durable, et de ce qui ne peut pas l'être.

*– Sacré défi, dans un monde qui s'est converti à la culture du jetable !*

– Sans doute. Mais nous n'avons plus le choix. Aujourd'hui, le marché est totalement étranger à la problématique de l'écosystème terrestre. Pourtant, il en fait partie. Mais il est en conflit avec lui, et l'on peut en constater les conséquences chaque jour : faillites dans la pêche, diminution des forêts, érosion des sols, tempêtes ou inondations inhabituelles, abaissement du niveau des nappes phréatiques, mort des coraux, élévation des températures, fonte des glaces, disparitions d'espèces… Tous ces événements sont des manifestations du conflit entre le système économique et l'écosystème terrestre. Le challenge consiste donc à restructurer l'économie, afin qu'elle soit en harmonie avec cette nature dont nous faisons partie.

*– Pourquoi la mort des coraux est-elle si importante pour l'espèce humaine ?*

– Le corail a de nombreuses fonctions. D'abord, il protège les côtes basses contre les vagues et les raz de marée. Par ailleurs, les barrières de corail sont de véritables nurseries pour de très nombreuses espèces de poissons qui y trouvent refuge. Et puis, Paul Tapponnier vous a dit qu'il joue aussi un rôle, modeste mais réel, dans la fixation du gaz carbonique. La disparition de cette espèce provoquerait l'écroulement d'un écosystème important. Et nous ne sommes pas en mesure aujourd'hui d'en mesurer toutes les conséquences.

### *La nature n'est pas un musée*

– *Mais certains systèmes sont aussi menacés, non par la disparition, mais par l'introduction d'une espèce exogène. La perche du Nil dans le lac Victoria, les lapins en Australie, l'algue* caulerpa taxifolia *en Méditerranée, etc.*

– Sans doute, mais cela, c'est l'histoire de la vie. Il y a toujours eu des compétitions entre espèces qui ont fini par créer de nouveaux équilibres. L'homme a certes accéléré les mouvements de plantes, d'animaux ou de microbes à la surface du globe. Mais il n'a fait que participer à un processus qui a toujours existé. L'écosystème terrestre est un équilibre dynamique. La Terre vit, et il n'est pas question de vouloir tout figer à un moment donné. Cela serait d'ailleurs impossible. Quand le phylloxéra, importé d'Amérique avec des pieds de vigne, détruit le vignoble français, on s'offusque de ces mouvements de plantes. Mais lorsque l'on va dans une ferme américaine, on peut constater que, à l'exception de la dinde, tous les animaux viennent d'ailleurs. Chevaux, vaches, cochons, poulets, etc. On estime alors qu'il s'agit d'une bonne chose.

– *Pourtant, certaines espèces locales peuvent disparaître.*

– Supplantées par d'autres, plus efficaces, oui. Il faut s'efforcer de les protéger, mais on ne gagne pas contre l'évolution. Alors que l'on peut s'opposer aux destructions, non pas d'espèces, mais d'écosystèmes tout entiers, que nous provoquons directement. On parle beaucoup en ce moment d'agriculture naturelle. On ferait mieux de se préoccuper d'agriculture économiquement et écologiquement rationnelle. Car je ne suis pas sûr qu'il y ait quoi que ce soit de naturel dans l'agriculture. On a tout créé. Les seules choses naturelles sont la chasse et la cueillette. De toute façon, il est devenu très difficile, dans un monde de plus en plus intégré, de contrôler les mouvements des organismes vivants. Nous devons apprendre à vivre avec de nouvelles réalités.

– *Quel serait, selon vous, le niveau maximum de population humaine possible sur cette planète, si nous voulons préserver les équilibres vitaux ?*

– Tant d'estimations ont été faites ! Les plus basses peuvent descendre jusqu'à 2 milliards d'êtres humains. Les plus hautes atteignent 30 milliards. Je pense que l'on ne peut pas poser cette question de manière aussi abstraite. Il faut se demander : « Combien de personnes ? » mais aussi : « Quel niveau de consommation ? » Un Américain moyen consomme 800 kilos de céréales par an. La plupart sous forme indirecte : viande, lait, fromage, etc.

– *Le bétail est l'un des plus gros consommateurs de céréales ?*

– Aux États-Unis, oui. Sur la planète, la quantité de grain consommé par les animaux, eux-mêmes consommables, représente à peu près 35 % du total. Et cela n'a pratiquement pas bougé depuis vingt ans. L'Italie en mange 400 kilos par personne et par an. L'Inde, 200 kilos, presque tout directement. Or, l'espérance de vie est plus élevée en Italie qu'en Inde et qu'aux États-Unis. Puisque la planète produit actuellement 1 milliard 850 millions de tonnes de céréales par an, nous pouvons espérer atteindre 2 milliards de tonnes. Cela permettrait donc de nourrir 10 milliards d'Indiens, 5 milliards d'Italiens ou 2 milliards et demi d'Américains. À nous de choisir.

– *Peut-on vraiment renverser la vapeur sans régresser ? Économiser l'énergie dans le confort ? Circuler librement sans polluer ?*

– Nous commençons maintenant à voir ce qu'il est possible de faire. Nous pouvons développer quelques nouvelles technologies.

– *Par exemple ?*

– Il y a plusieurs pistes. Je pense que les sources d'énergie du futur seront diversifiées. Le solaire tient déjà une place non négligeable dans certaines régions du Tiers Monde, il pourrait encore être développé. Autre source : le vent. Le prix de l'électricité éolienne a déjà chuté de 2 600 dollars le kilowatt en 1981 à 800 dollars en 1998. 8 % de l'électricité danoise est produite par le vent ; 11 % de celle du Schleswig-Holstein, un *Land* du nord de l'Allemagne ; 20 % en Navarre, au nord de l'Espagne. Et cela se développe très vite dans certains États américains, comme le Minnesota, l'Iowa, l'Oregon, le Wyoming et le Texas. Mais le leader mondial est actuellement l'Inde, avec une capacité installée de 900 mégawatts. Autre source prometteuse : l'hydrogène. C'est la molécule la plus répandue dans l'Univers. Ce pourrait être un fantastique carburant, inépuisable. On s'en sert déjà pour les fusées. Il suffit de se donner les moyens de faire de la recherche.

*– Le problème, aujourd'hui, vient du fait que, pour produire de l'hydrogène, il faut de l'électricité. On se mord la queue…*

– Le vent, durant des siècles, a fait tourner les moulins et moulu la farine. Il pourrait fournir la source d'électricité, elle aussi inépuisable, permettant de fabriquer de l'hydrogène.

*– Les éoliennes en grand nombre défigureraient totalement le paysage. De plus, elles sont très bruyantes !*

– De moins en moins. Et la technologie progresse rapidement, en particulier avec les nouvelles éoliennes lentes. Et rien n'empêche de les installer dans des zones presque désertes, comme la Patagonie, afin d'y fabriquer sur place l'hydrogène, qui est stockable et transportable. Ce peut être un moyen d'apporter une richesse à certaines zones arides du monde. On peut même imaginer des batteries d'éoliennes *off shore.* La question n'est pas tant de savoir quelles solutions nous adopterons, que d'avoir la volonté d'en trouver. Ne plus être sous la coupe de groupes de pression qui ne tiennent leur pouvoir que de leur richesse. Si, à l'échelle de la planète, les pollueurs payaient, tout pourrait être différent. La clef est que le marché dise la vérité. Dans une économie écologique, la Terre pourrait devenir un lieu formidable pour vivre. Imaginez des villes sans trop de bruit, sans trop de stress, sans trop de pollution… Un jour, en se penchant sur leur passé, les hommes regarderont sans doute la seconde moitié du XXe siècle comme un âge obscur de la vie urbaine. Aucune génération n'a jamais eu l'énorme potentiel dont nous disposons. Mais il implique de notre part une responsabilité tout aussi lourde.

200 millions d'années

150 millions d'années

Cartes d'après l'*Atlas universel*, Le Monde / Sélection du Reader Digest, 1982, p. XXXI et XXXII.

# LES PLAQUES

PLAQUE EURASIATIQUE
PLAQUE NORD-AMÉRICAINE
PLAQUE ARABIQUE
PLAQUE AFRICAINE
PLAQUE INDO-AUSTRALIENNE
PLAQUE DES PHILIPPINES
PLAQUE PACIFIQUE
PLAQUE DES CARAÏBES
PLAQUE DES COCOS
PLAQUE NAZCA
PLAQUE SUD-AMÉRICAINE
PLAQUE ANTARCTIQUE

Continents actuels
Limites des grandes plaques

Des mêmes auteurs

**André Brahic**

*Conversations dans l'Univers*
(avec P. Debray-Ritzen)
Albin Michel, 1986

*Les Comètes*
PUF, 1993

*La Terre dans l'Univers*
(collectif)
Hachette, 1993

*Sciences de la Terre et de l'Univers*
(collectif)
Vuibert, 1999

*Enfants de Soleil*
Odile Jacob, 1999

**Lester R. Brown**

*Le Défi planétaire*
Sang de la Terre, 1991

PUBLIÉS AUX ÉTATS-UNIS

*Man, land and food*
1963

*Increasing world food output*
1965

*Seeds of change*
1970

*World without borders*
1972

*In the human interest*
1974

*The twenty-ninth day*
1978

*Building a sustainable society*
1981

*The world watch reader*
1991

*Who will feed China ?*
*Wake-up call for a small planet*
1995

*Tough choices : facing the challenge of food scarcity*
1996

*Eko Kezai Kakume*
*Environmental trends reschaping the global economy*
1998

**Jacques Girardon**

*Quand la ville dort mal*
Stock, 1980

*Aventures sans gravité*
*Une histoire de la conquête spatiale*
*(série radiophonique)*
Radio France, 1986, 1990, 1992, 1994

*La plus belle histoire des plantes*
*(avec Jean-Marie Pelt, Marcel Mazoyer, Théodore Monod)*
Seuil, 1999